SOYEZ FIERS DE VOUS

OUVRAGE DE KEN BLANCHARD
PARU AUX ÉDITIONS MICHEL LAFON

L'Excuse-Minute, l'art d'apaiser les crises professionnelles, les tensions familiales, les relations houleuses, 2003.

Ken Blanchard

Thad Lacinak, Chuck Tompkins et Jim Ballard

SOYEZ FIERS DE VOUS

*La stratégie positive qui mène
à tous les succès
au travail, en famille et en couple*

Traduit de l'anglais (États-Unis) par
Isabelle-Sophie Lecorné

Nous dédions ce livre à nos héros anonymes
– tous les individus efficaces et discrets
qui mettent un point d'honneur à toujours
souligner les efforts et les succès de leur entourage.

Après la lecture de cet ouvrage,
nous espérons
que vous viendrez grossir leurs rangs.

Avant-propos

par Ken Blanchard

En 1976, lorsque l'université du Massachusetts à Amherst m'a accordé un congé sabbatique, je suis parti à San Diego avec toute ma famille. L'une de nos premières journées de liberté a été consacrée à la visite de SeaWorld. Tout le monde nous avait conseillé d'assister au spectacle de « Shamu l'épaulard ». Je n'avais aucune idée de ce qui nous attendait. La seule information dont je disposais sur les orques se limitait à leur réputation de dangereux prédateurs. Le spectacle consistait-il à se contenter de les regarder nager en rond ? Dès que nous sommes entrés dans l'amphithéâtre et que le show a commencé, nous avons été sous le charme. À peine une minute de spectacle avait suffi pour faire de nous des fans irréductibles. Cela me fascinait de regarder ces énormes créatures sauter, plonger et même porter leurs dresseurs sur le dos. Comment avait-on pu les entraîner à atteindre un tel niveau de performances et parvenir à leur y faire prendre autant de plaisir ? Cela faisait des années que j'avais orienté mes recherches et mon travail, de conférencier comme d'auteur, sur le pouvoir des relations positives. J'étais certain que la mise en valeur des actions individuelles favorisait la productivité dans l'environnement professionnel, et pouvait aussi être bénéfique dans les relations familiales. Malgré mon enthousiasme pour cette théorie, j'étais de plus en plus découragé de constater que dans la majorité des foyers et des entreprises, l'inverse se produisait. La norme était de montrer du doigt ceux qui faisaient des erreurs. J'étais tout aussi fermement convaincu que le principe de punition était négatif dans les relations humaines. Et je réalisais instinctivement qu'il n'était pas souhaitable non plus pour le dressage des mammifères marins. Cette intuition se confirma lors d'une visite ultérieure au spectacle de Shamu, quand je décidai de montrer à nos clients et à nos formateurs les coulisses et de leur présenter Chuck Thompkins, le chef dresseur du SeaWorld d'Orlando.

Chuck et moi avions vite compris que nous étions compagnons d'âmes, et avions passé un accord : il m'enseignerait les ficelles du dressage des orques et je lui apprendrais à former les humains. C'est au cours de cet échange que nous avons découvert que nous enseignions... la même chose !

Néanmoins, nous avions des concepts clés à échanger. J'étais particulièrement bluffé par la capacité des dresseurs de SeaWorld à recourir au « ré-acheminement des énergies ». Quand les épaulards commettaient une faute, ils dirigeaient immédiatement leurs efforts vers un autre objet. Cette stratégie simple, mais efficace leur permettait de ne pas s'étendre sur l'échec passé et d'enchaîner tout de suite sur les situations où les animaux donneraient le meilleur d'eux-mêmes. Tout le monde sait que souligner les points positifs du travail de chacun est à la source de toute motivation. Que fait-on, en revanche, quand on est confronté à de mauvais résultats ? C'est précisément sur ce point que le travail de Chuck et des dresseurs de SeaWorld m'a ouvert les yeux. Au lieu de rester fixés, ainsi que nombre d'entre nous ont tendance à le faire, sur ce qui a mal tourné, ils donnent aussitôt un nouvel objectif à leurs élèves. Un objectif dont ils savent qu'il leur est accessible. Peu à peu, Chuck et moi avons réalisé que « le ré-acheminement » et « la mise en valeur des points positifs » formaient un ensemble de techniques dont pourraient bénéficier les relations professionnelles et familiales. Nous nous sommes mis à jouer avec l'idée d'écrire, ensemble, un livre exposant la façon d'appliquer ces concepts. Ce désir resta dans le domaine du rêve pendant plusieurs années. Et, plus précisément, jusqu'à ce que Chuck me présente à son patron, collaborateur et ami, Thad Lacinak. Désormais, nous étions trois rêveurs, bien déterminés à réaliser notre projet. Un peu plus tard, j'ai demandé à Jim Ballard, un vieil ami, collègue et co-auteur, de joindre ses forces aux nôtres. Avec ce casting, le présent ouvrage prit vraiment forme. Aujourd'hui, ce travail m'enthousiasme et je pense qu'il est vraisemblablement le plus important de mes ouvrages.

Chapitre 1

Mais comment font-ils ?

À SeaWorld, au beau milieu d'un véritable ballet de sauts et d'acrobaties aquatiques orchestré par la star des épaulards, le célèbre orque Shamu, plus de trois mille spectateurs eurent le souffle coupé en même temps. Tous les regards étaient rivés sur ces impressionnants cétacés et leurs dresseurs. Ils étaient bien trop occupés pour remarquer la palette d'émotions qui se reflétait sur le visage de l'homme, vêtu d'une chemise bleue et d'un pantalon de toile, assis au milieu d'eux. À chaque nouvel exploit, la foule explosait en cris et en applaudissements. L'homme oscillait entre surprise, joie et... désarroi.

Wes Kingsley était venu d'Orlando pour assister à une conférence. Puisque son emploi du temps lui laissait la liberté de se relaxer, de jouer au golf ou d'aller assister à l'une des attractions locales, il avait pensé qu'une balade au célèbre parc zoologique marin lui permettrait d'oublier ses soucis. Il ne regrettait pas sa décision. Plus tôt, malgré la horde de spectateurs qui se pressait dans l'immense amphithéâtre, il avait trouvé un siège surplombant les eaux bleutées de la grande piscine centrale. Après les souhaits de bienvenue d'usage et un exposé des règles de sécurité effectué par un dresseur, un mystérieux brouillard était tombé sur l'eau. Au loin se faisait entendre le cri d'un rapace. Soudain, l'oiseau plana au-dessus de leurs têtes, avant de plonger en piqué dans le bassin et d'en ressortir un leurre. Au moment où il s'éloignait, des ailerons noirs crevèrent la surface. Le public retint son souffle. D'énormes formes sombres se profilaient au fond de l'eau, traçant des cercles en ombre chinoise. Un dresseur en tenue de plongée, assis dans un kayak, sortit du brouillard en pagayant et fut immédiate-ment cerné par les nageoires des épaulards. À leurs côtés, il semblait aussi petit et fragile qu'un fétu de paille.

Après cette mise en bouche spectaculaire, la foule assista à une série de sauts et de plongeons acrobatiques ahurissants, réalisés par trois épaulards : un mâle de cinq tonnes et deux femelles de deux tonnes cinq chacune. Ces mammifères marins, qui comptent parmi les prédateurs les plus redoutés de l'Océan, agitèrent leurs nageoires pectorales vers le public et permi-rent aux dresseurs, juchés sur leur dos, de « surfer » sur la surface de la piscine. De loin en loin, les dix premiers rangs de spectateurs se faisaient éclabousser par les retombées d'eau froide qui jaillissaient d'un seul battement de leurs immenses queues. Les éclats de rire, les « Oh ! », les « Ah ! » et les tonnerres d'applaudissements témoignaient du plaisir de la foule.

Wes Kingsley était aussi enthousiasmé que les autres spectateurs. Au moment du final, quand les trois stars sortirent la moitié de leur corps luisant au-dessus de l'eau, dos noir et ventre blanc en étendard, en une esquisse de révérence de remerciements, il avait déjà griffonné plusieurs notes sur un petit carnet. Alors que les gens quittaient l'amphithéâtre, bon nombre d'entre eux dégoulinaient encore de la douche qu'ils avaient reçue au cours de la prestation. Malgré cela – ou peut-être à cause de cela –, de larges sourires illuminaient leurs visages. Wes Kingsley resta assis après le départ des autres spectateurs, les yeux toujours fixés sur la piscine. Les profondeurs bleues, si tranquilles après cet orage, semblaient faire écho à son état d'esprit.

Après le départ de tous et le retour du calme, un portillon s'ouvrit au fond de l'eau, une longue forme noire pénétra dans le bassin et se mit à tourner. Quand un dresseur entra et s'approcha de la berge, l'orque nagea immédiatement à sa rencontre.

– C'est bien, mon grand, dit l'homme en tapotant la tête de l'animal. Profite de ta récréation. Tu l'as bien méritée.

Pendant que le dresseur longeait le bord de la piscine, l'épaulard flottait à ses côtés. Il était évident qu'il tentait de rester le plus près possible de lui. L'homme à la chemise bleue réfléchissait, en proie à la plus vive agitation. *On aurait pu croire qu'après le spectacle cet épaulard aurait profité de son temps libre,* pensait-il avec stupéfaction. *Et pas du tout : qu'est-ce qu'il veut ? Jouer avec son dresseur !* Une question le taraudait, un besoin de comprendre croissant au fil du spectacle. Et s'il abandonnait le refuge des gradins pour aller se renseigner ? Tout d'abord, la timidité le retint. Soudain, il se leva et dévala rapidement les marches.

— Excusez-moi, dit Wes en s'approchant du dresseur.

Celui-ci le regarda avec étonnement, puis lui montra la porte du doigt.

— La sortie est de ce côté, monsieur.

— Je sais. Mais j'ai une question à vous poser.

Plus Wes se rapprochait, plus il devenait évident qu'il ne se contenterait pas d'une rebuffade.

— Bien sûr. Que voulez-vous savoir ?

Wes sortit un portefeuille de sa poche, sélectionna deux billets de cinquante dollars et les lui tendit.

— Je suis prêt à vous payer pour vos informations. Ce que je veux savoir, c'est ce que tout le monde se demande en regardant le spectacle : quel est votre secret ? Comment réussissez-vous à vous faire obéir des orques ? Vous utilisez un leurre ? Vous les affamez ?

L'homme, simplement vêtu d'une tenue de plongée, réprima un premier mouvement de colère face à l'impertinence de son interlocuteur.

– Nous n'utilisons aucun leurre et nous ne les affamons pas, répondit-il doucement. Et vous pouvez garder votre argent.

– Mais alors, quel est le truc ? Que faites-vous ? insista Wes avec quelque impatience.

Confronté au seul silence pour toute réponse, il finit par saisir ce que son attitude pouvait avoir d'offensant. Il se radoucit et rangea ses billets.

– Désolé, dit-il en tendant la main. Je m'appelle Wes Kingsley. Je ne veux pas vous embêter, mais j'ai vraiment besoin de savoir comment vous obtenez de tels résultats.

– Dave Yardley, répondit l'entraîneur en serrant la main tendue. Vous vous adressez à la bonne personne : je suis le responsable du dressage, ici. La réponse à votre question est simple : nous avons des professeurs. Voulez-vous rencontrer l'un d'eux ?

Kingsley jeta un regard autour de lui pour voir si quelqu'un les avait rejoints. Ils étaient seuls et Yardley pointait le doigt vers l'orque.

– En voici un. Son nom est Shamu. C'est lui et tous les autres épaulards de SeaWorld qui nous ont appris tout ce que nous savons d'eux. Et ils nous ont aussi enseigné la meilleure méthode pour travailler ensemble.

– Voyons, insista Wes en plissant les yeux avec méfiance. Vous êtes en train de me dire que vous avez été dressé par un animal ! Ne serait-ce pas plutôt l'inverse ?

– Shamu est l'un des plus gros épaulards vivant dans un parc zoologique. Quant à savoir qui dresse qui, je vais vous l'expliquer. Lorsque vous avez affaire à une bestiole de cinq tonnes et demie qui ne parle pas un mot d'anglais, c'est vous qui faites des efforts.

– Tout ce que je serais disposé à apprendre de lui serait la meilleure façon de ne pas le vexer, glissa Wes en baissant les yeux sur les deux inquiétantes rangées de dents qui scintillaient dans la gueule de Shamu.

– C'est la meilleure attitude à adopter si l'on tient compte de leur nature, approuva Dave. Les orques sont des prédateurs marins extrêmement dangereux. Ils sont capables de tuer et de dévorer tout ce qui bouge.

– J'imagine que s'il n'apprend pas ses leçons, vous ne l'envoyez pas au piquet, ironisa Wes.

– Tout juste. On s'est vite rendu compte que ça n'avait aucun sens de punir un épaulard puis de demander à un dresseur d'aller faire trempette avec lui.

– À moins qu'il ne soit à l'affût d'une rapide reconversion professionnelle ! sourit Wes. C'est difficile de croire qu'une créature d'une telle taille peut sortir la moitié de son poids hors de l'eau et rester dans cette position. Comment faites-vous pour leur faire faire ça ?

– Disons que ça ne s'est pas fait du jour au lendemain. Mais Shamu nous a appris la patience.

– Comment ça ?

– Cet orque n'avait aucunement l'intention de se montrer coopératif avant d'avoir confiance en nous. En travaillant avec lui, il est vite devenu évident qu'il ne se laisserait pas dresser avant de connaître nos intentions. Quand nous accueillons un nouvel épaulard, nous attendons un bon moment avant de commencer le dressage. Nous nous contentons de nous assurer qu'il n'a pas faim, de prendre soin de sa santé, de petites choses comme ça. C'est seulement après que nous pouvons sauter dans l'eau et jouer avec lui.

– Après quoi ?

– Dès qu'il est persuadé que nous ne lui voulons pas de mal.

– Vous voulez qu'il vous fasse confiance, en somme.

– Voilà. C'est le principe autour duquel nous articulons notre travail avec les animaux.

Wes sortit son carnet et se mit à prendre des notes.

– Vous écrivez un article, demanda Dave, ou vous faites de la recherche ?

17

– Disons une recherche personnelle, sourit tristement Wes Kingsley. Il faut absolument que je tente autre chose, sinon…

Dave Yardley attendit que son interlocuteur précise sa pensée. *En réalité, ce type, qui se veut si plein d'assurance, a du mal à accorder sa confiance à qui que ce soit,* décida-t-il. *C'est ça son problème.*

– J'habite près d'Atlanta et je travaille pour une grosse entreprise de fournitures industrielles, commença Wes après un long silence, les yeux baissés vers le sol. Je suis venu en Floride à l'occasion d'une conférence pour le boulot. C'était un prétexte, j'avais surtout besoin de prendre l'air pendant quelques jours. Mais je ne parviens pas à me détendre. Ici, à l'hôtel, entouré de mes confrères, une seule pensée m'obsède : je n'ai pas envie de rentrer à la maison pour me retrouver confronté aux mêmes problèmes.

Dave l'écoutait sans dissimuler son intérêt.

– Cela fait longtemps que je n'arrive plus à obtenir de mes employés les performances que j'attends d'eux, poursuivit Wes Kingsley. Et je n'arrive pas non plus à pousser mes enfants à donner un coup de main à la maison, ni à les amener à obtenir de meilleurs résultats scolaires. Un jour où je m'en plaignais à un ami, il m'a gentiment suggéré que si j'avais autant de problèmes, tant à la maison qu'au boulot, il y avait peut-être à ces situations un facteur commun.

– Et lequel ? demanda Dave.

– « Quand tout va de travers dans ta vie », m'a dit mon ami, « qui est toujours là ? » C'est moi. Il est clair que je n'ai pas l'étoffe d'un bon meneur d'hommes. C'est tellement évident que je risque de perdre mon travail. Franchement, je désespère un peu.

Dave ne pouvait pas ignorer l'anxiété dans la voix, presque suppliante de Wes.

– Laissez-moi vous emmener faire un tour en coulisses, décida-t-il brusquement. On pourra parler de tout ça.

Il le conduisit de l'autre côté du portail, vers une piscine d'entraînement où deux épaulards adultes se prélassaient dans l'eau claire. Leurs corps magnifiques évoquaient autant le calme que la promesse d'une puissance explosive.

– Il faut du temps pour établir des rapports de confiance et d'amitié avec chacun d'eux, commença Dave tout en marchant vers le bassin. La richesse du spectacle repose sur cette confiance et cette amitié. Ces animaux ne sont pas si différents des gens. Quand ils n'aiment pas la façon dont vous les traitez, ils vous le font savoir. Vous êtes un businessman, vous savez donc que l'important aujourd'hui est de satisfaire le client. Et pour y arriver, il faut d'abord satisfaire vos employés. Quand nos épaulards n'ont plus peur de nous, les vibrations positives qui circulent entre tous les intervenants sont tellement fortes que même le public les perçoit.

19

– C'est vrai, renchérit Wes. Le spectacle donne beaucoup de plaisir aux spectateurs. À la fin, on pouvait lire l'enthousiasme sur leurs visages. La moitié d'entre eux étaient trempés, mais ils avaient vraiment l'air aux anges.

– Vous pouvez aussi déceler le même plaisir chez les épaulards, précisa Dave. Quand le show commence, ils se massent tous près du portail. Ils veulent en être. Ils savent que ce sera une expérience positive.

– D'accord, je comprends le principe. Mais qu'est-ce que vous faites exactement avec eux pour établir cette confiance ?

– Vous voudrez peut-être prendre quelques notes, sourit Dave. Nous mettons en valeur tous leurs comportements positifs.

Mettez l'accent
sur le positif.

– « Construisez la confiance… accentuez le positif… » Ce n'est pas le texte d'une vieille chanson ? plaisanta Wes.

— Si. Nous soulignons ce qui est positif et non l'inverse. Nous regardons attentivement l'animal pour nous assurer qu'il remplit sa mission correctement. Et quand il fait bien ce qu'on lui a demandé de faire, nous le couvrons d'attentions.

– Très bien. Mais que se passe-t-il quand il ne le fait pas, ou quand il le fait mal ?

– Nous ignorons son erreur et nous redirigeons immédiatement son énergie vers un nouvel objectif.

– Qu'entendez-vous exactement par « ignorer » ? insista Wes.

Le nez plissé, l'air inquiet et le stylo en l'air, il avait cessé de prendre des notes.

– Eh bien…

– Si l'un de mes employés fait une bourde, l'interrompit Wes avec agitation, je ne peux pas me permettre de l'ignorer. Si l'un de mes enfants ne fait pas ses devoirs, ou se chamaille avec l'autre, je ne vais sûrement pas feindre de ne pas m'en apercevoir !

– J'en déduis donc que lorsque l'un de vos employés, ou l'un de vos enfants, fait quelque chose qui vous déplaît, il le sent passer, avança calmement Dave.

– Vous pouvez en être sûr.

– J'imagine que vous ne vous privez pas de leur dire ce que vous en pensez. Vous soulignez que ce qu'ils ont fait ne vous convient pas du tout. Et vous les prévenez qu'ils ont intérêt à ne pas recommencer…

– Hé ! le coupa nerveusement Wes. Il en va de mes responsabilités professionnelles et parentales.

– Ça, c'est ce que vous pensez, répondit le dresseur en haussant les épaules. Mais je ne suis pas certain que ce soit le meilleur moyen de créer un climat de confiance au bureau ou la maison.

– En y réfléchissant, je ne le pense pas non plus, répondit Wes d'un ton surpris. C'est l'inverse de votre méthode : les points négatifs sont trop mis en avant.

– Il y a un concept important dont vous devez vous rappeler : plus on souligne un comportement, plus il est répété. Travailler avec les épaulards nous l'a démontré à maintes reprises. Quand nous ne leur faisons pas remarquer leurs erreurs mais, au contraire, célébrons leurs succès, ils s'attachent plus souvent à réussir.

– Vous êtes en train de me dire que la clé de voûte du système, c'est ce qu'on met en avant.

– Exactement. Pourtant, ce n'est pas seulement pour pousser les animaux à effectuer leurs tours correctement que nous mettons l'accent sur leurs bons résultats. En réalité, c'est la meilleure chose à faire. Ici, nous traitons nos orques comme autant d'individus. Chacun possède des capacités de développement et de réussite illimitées. Nous concentrons d'abord nos efforts sur la confiance. Il faut les persuader de nous considérer comme leurs amis. Puis, lorsque les bases de notre amitié sont posées, nous essayons de déterminer quelle sera notre relation avec un animal en particulier, sur quel territoire nous pourrons échafauder une base de compréhension mutuelle et un projet. Nous commençons par étudier son comportement, afin de comprendre ce qu'il aime. Ensuite, petit à petit, nous transformons chaque étape du dressage en jeu, en y ajoutant des leçons simples qu'ils peuvent assimiler presque sans effort.

– Vous parlez de ces animaux comme s'ils étaient d'une intelligence supérieure. Comme s'ils avaient envie de coopérer et de se lier d'amitié avec les humains !

– C'est le cas. Mais à une condition : que les humains fassent eux aussi des efforts pour mener le processus à bien. L'un des pires *a priori* du dressage consiste à préjuger des limites du sujet observé. Ce que l'homme pense et attend d'un animal a une influence directe sur son comportement.

– Je n'ai jamais entendu dire qu'on procédait ainsi avec les bestioles...

– Logique parce que, en général, les gens les méprisent, rétorqua Dave. L'approche conventionnelle du dressage repose sur le parti pris de la supériorité humaine et de l'infériorité animale. Or, les animaux sont capables de percevoir nos désirs avec une justesse étonnante. Et, tout comme nous, ils peuvent mettre un point d'honneur à ne pas y répondre ! À l'inverse, il ne faut jamais être surpris quand ils vous obéissent, même

23

si c'est la première fois que vous les confrontez à une situation donnée. Les épaulards nous ont appris à toujours nous attendre à l'impossible. Lorsque nous leur soumettons une requête, si nous n'obtenons pas de réponse, c'est le signe que nous devons être plus performants. Pas eux.

– Je pense que la majorité des gens ne témoignent pas à leur prochain, et encore moins aux animaux, le type de respect et de compréhension que vous décrivez, commenta Wes. À commencer par moi. Je comprends mieux que ces orques fassent tellement bien leur boulot ! J'opérerais un virage radical si je commençais à appliquer vos principes dans mes relations professionnelles, paternelles et même conjugales. Plus facile à dire qu'à faire, en tout cas.

– Vous ne croyez pas si bien dire, souligna Dave.

– Alors, reprenons. Ça y est, j'ai compris que la façon de considérer les objectifs conditionne la réussite, résuma Wes après avoir pris quelques notes. Mais je ne comprends toujours pas comment on peut décemment faire abstraction des erreurs et des échecs.

– Quand je dis « ignorer » les comportements indésirables, cela ne signifie pas pour autant qu'il faut accepter tout et n'importe quoi. Vous n'avez peut-être pas saisi ce que j'entendais par le « réacheminement de l'effort ».

– Oui, c'est vrai, dites-m'en plus.

– C'est lié à une gestion correcte des énergies. La première étape consiste en un travail sur soi : il faut maîtriser l'importance donnée aux événements. Il y a une règle simple, mais fondamentale, dont il faut se souvenir : « Si vous ne voulez pas perpétuer les comportements négatifs, ne vous appesantissez pas dessus. » Quand quelqu'un se trompe, ce qu'il faut, c'est rediriger immédiatement son effort sur un autre objet.

– Et comment vous y prenez-vous ?

– Ça dépend. Si l'animal rate une acrobatie cruciale pour le bon déroulement du spectacle, nous lui donnons une seconde chance d'y parvenir. Sinon, nous le poussons à se lancer dans quelque chose qu'il aime et qu'il sait bien faire. Dans tous les cas, après l'avoir dirigé vers un autre objectif, nous lui donnons une récompense, dès qu'il obtient un nouveau succès.

– Une gourmandise ?

– La nourriture est assurément une récompense efficace, répondit Dave. Mais nous essayons d'en trouver d'autres. Avant que je ne commence à travailler avec lui, Shamu était toujours motivé ou remercié par des dons en nature. Dès qu'il faisait son travail correctement, il recevait un poisson en récompense. Mais ne voyez-vous pas le défaut de la méthode ?

– Si, bien sûr. Il n'était prêt à travailler que l'estomac creux. Il vous fallait l'affamer tout le temps !

– Exactement, et ce n'était judicieux ni pour lui, ni pour le dresseur, ironisa Dave. Nous l'avons donc amené à découvrir d'autres plaisirs, comme les caresses sur la tête. Les orques aiment le contact. Pour résumer : nous n'avons jamais utilisé la punition comme stimulus et nous avons élargi la gamme des récompenses.

– Varier les récompenses, voilà qui est malin, déclara Wes, le nez sur ses notes. Si je projette votre exemple sur la vie humaine, il est clair que, pour nous, l'argent correspond à la nourriture. Cela sous-entend que je dois trouver d'autres motivations que l'aspect financier pour influer sur les performances de mes employés... C'est difficile à croire, reprit-il après un court silence, mais peut-être que Shamu et vous allez m'aider à trouver des réponses aux questions qui me minent.

Dave sourit en décelant chez Wes une naïveté quasi enfantine. À cet instant, il le trouvait touchant. Il se dirigea vers le bâtiment administratif, passa le bras par une fenêtre ouverte et saisit un téléphone cellulaire.

– Excusez-moi, lui dit-il tout en composant un numéro. Je dois passer un coup de fil.

Déçu, Wes s'éloigna de quelques pas. Instantanément, son visage reprit son masque de froideur. *Je suis un idiot,* pensa-t-il. *Quelle idée d'aller chercher à résoudre mes problèmes professionnels auprès d'une bande d'épaulards !* Il jeta un coup d'œil à sa montre. S'il se dépêchait, il pourrait arriver à temps à l'hôtel pour son rendez-vous du déjeuner.

– Anne-Marie, bonjour, c'est Dave Yardley, de SeaWorld, au téléphone. Ça va ? Écoute, j'ai là quelqu'un qui devrait te parler... Oui, il est juste à côté de moi. Il s'appelle Wes Kingsley et la façon dont nous dressons les animaux l'intéresse beaucoup. Il a besoin de savoir s'il est possible d'appliquer les mêmes techniques aux relations humaines, et tout particulièrement professionnelles... Je sais, c'est fou, non ? Et en plus, il vient d'Atlanta. Je peux te le passer ?

Un peu gêné, Wes s'approcha de Dave qui lui tendait le téléphone.

– Désolé, Wes, je ne vous ai pas demandé votre avis, mais il m'a semblé qu'une de mes amies pourrait vous être utile. Alors, je l'ai contactée. Vous en avez peut-être entendu parler : son nom est Anne-Marie Butler. C'est une consultante assez connue. Elle écrit des livres et donne des conférences sur le management et la motivation partout dans le monde. Et elle habite Atlanta.

Wes commença à paniquer. Il savait évidemment qui était Anne-Marie Butler. Elle passait pour l'une des femmes d'affaires les plus puissantes du pays. À peine sortie d'une école de commerce, elle avait lancé une ligne de vêtements qui, en quelques années, était devenue une marque de renommée internationale. Son talent pour s'entourer des meilleurs professionnels était légendaire. C'est ce qui l'avait amenée à se lancer dans cette nouvelle activité de consultante, à écrire plusieurs ouvrages devenus des best-sellers, et surtout à devenir experte dans le domaine complexe des relations humaines. Wes n'avait jamais lu ses livres. Mais en prenant le téléphone, il était très intimidé.

– Allô ?

– Allô, Wes ? dit une voix chaleureuse. Je suis Anne-Marie Butler. Je connais Dave depuis des années et je suis très contente de pouvoir bavarder avec vous. Comment puis-je vous aider ?

– Eh bien, euh… j'étais juste en train de voir avec Dave comment je pourrais adapter ses techniques de dressage à mon job de manager, résuma-t-il.

– Il n'y a pas si longtemps encore, souffla Anne-Marie, j'étais dans la même situation que vous. Je regardais travailler ces orques et je me demandais comment les dresseurs réussissaient à obtenir de tels résultats. Pour mon boulot de consultante, je suis toujours en quête d'idées et de stratégies que je peux glaner puis transmettre à mes interlocuteurs, afin de les aider à obtenir le meilleur de leur personnel. Quand j'ai mieux connu Dave et les autres dresseurs de SeaWorld, j'ai compris que notre rencontre était un don du ciel. Et quand ils m'eurent dévoilé tous leurs secrets, je me suis mise à les intégrer dans mes séminaires, mes livres et mes consultations. Mieux, j'ai commencé à les utiliser moi-même avec mon entourage.

– C'est très gentil à vous de bien vouloir m'en parler, dit-il. Parmi vos livres, peut-être pourriez-vous me recommander ceux qui traitent particulièrement de ces problèmes ?

– Ça ne serait pas mieux de se rencontrer ? Quand rentrez-vous à Atlanta ?

– Vendredi.

– Il se trouve que lundi matin je prononce un discours dans une convention, au Hilton du centre-ville. Si vous pouviez y assister, nous aurions un peu de temps pour en parler après.

– Vraiment ? Ce serait génial ! s'exclama Wes. Merci beaucoup, conclut-il en rendant le téléphone à Dave.

Il attendit que ce dernier ait fini de saluer Anne-Marie pour lui manifester à nouveau sa gratitude.

– Je n'arrive pas à croire que je vais vraiment rencontrer Anne-Marie Butler. Je vous dois de vrais remerciements, Dave.

– Je vous en prie, répondit le dresseur, en lui tendant la main.

– Avant de vous laisser, ça ne vous ennuie pas que je revoie rapidement avec vous les points clés que vous avez abordés ce matin ? demanda Wes en feuilletant les pages de son calepin pour survoler ses notes.

– Non, non, allez-y…

**Instaurez
une atmosphère
de confiance.**

**Soulignez
les actes positifs.**

**En cas d'erreur,
redirigez l'énergie
vers un autre objectif.**

– Vous avez tout compris, sourit Dave. Et si vous deviez l'oublier, souvenez-vous juste que si le spectacle de Shamu existe, c'est grâce aux relations positives que nous avons établies avec les animaux.

– Et vraiment, insista Wes, vous ne les punissez jamais ?

– Jamais. Bien sûr, il y a des moments où ils refusent de coopérer. Les épaulards sont comme les hommes. Il y a des jours où ils se lèvent du mauvais côté du bassin. Il nous est déjà arrivé d'arrêter le spectacle quand tout va de travers. Dans ce cas, nous annonçons au public que Shamu a besoin de faire une pause. Ses camarades reprennent alors le flambeau, et Shamu repart en coulisses.

– Et qu'est-ce qui se passe ?

– Il y reste rarement longtemps. Ces orques sont des bêtes de scène. Elles adorent ça. Et plus on les flatte quand elles donnent satisfaction, plus elles nous font confiance et plus leurs performances s'améliorent.

– Vous savez, c'est étrange que je sois venu ici aujourd'hui…

– Que voulez-vous dire ?

– Eh bien, je me suis rendu à SeaWorld pour m'évader. Je voulais arrêter de penser au boulot. Et au lieu de ça, je nage en plein cours de formation de management.

– Aussi étrange que cela paraisse, conclut Dave, c'est notre quotidien avec les orques.

Chapitre 2

Le lundi suivant, Wes Kingsley se rendit à l'hôtel où Anne-Marie Butler donnait sa conférence. Il laissa son véhicule au voiturier, entra dans l'hôtel, rejoignant la foule qui s'y pressait. Un badge à son nom l'attendait à la réception et il trouva un siège au fond de la salle. Quand tout le monde se fut installé, l'organisateur du congrès monta sur l'estrade pour souhaiter la bienvenue à l'assistance.

– Ceux d'entre vous qui connaissent le travail d'Anne-Marie Butler, ou qui ont déjà assisté à une de ses conférences, savent qu'un moment agréable les attend. Sans plus tarder, joignez-vous à moi pour acclamer la seule véritable voix positive dans le monde du business d'aujour-d'hui : Anne-Marie Butler.

Les applaudissements éclatèrent tandis qu'une quadragénaire, blonde et séduisante, s'approchait du micro.

– Avant de commencer, annonça Anne-Marie, j'ai une question à vous poser. Combien d'entre vous ont une équipe à gérer, que ce soit au travail ou à la maison ?

Une vague de rire parcourut l'assemblée, tandis que la plupart des mains se levaient.

– Je parie que vous êtes nombreux à penser que, chez vous, vous n'avez pas à jouer les managers, poursuivit Anne-Marie.

Une rumeur d'approbation lui répondit.

– Pourtant, dans tous les aspects de votre vie, vous dirigez des êtres humains. Aujourd'hui, je suis venue vous parler de motivation. Vous donner toutes les astuces qui vous permettront de stimuler votre entourage. Car en tant que leader, il se trouve que c'est là l'essentiel de votre travail. Pendant les quelques heures que nous allons passer ensemble, je vais vous livrer la clé de la motivation. Elle repose sur une vérité des plus frappantes. Simple. Profonde. Et, comme toujours avec les vérités simples et profondes, elle est juste sous votre nez. Quand vous sortirez d'ici, vous commencerez à analyser vos rapports avec autrui sous un angle nouveau. Cette perspective vous aidera à construire des relations positives, à augmenter le dynamisme de votre personnel et à améliorer ses performances professionnelles. Cela peut même faire de vous de meilleurs parents… L'important, c'est ce sur quoi nous focalisons. En tant que dirigeants d'entre-prise, chefs d'équipe et parents, ce qu'il nous faut impérativement, c'est apprendre à nous concen-trer sur ce qu'il y a de meilleur chez nos interlo-cuteurs. Vous ne comprenez pas ce que je veux dire ? Laissez-moi vous l'expliquer. Pouvez-vous tous vous lever, s'il vous plaît ? Je vais vous demander de faire deux choses pour moi, reprit-elle quand tout le monde fut debout. D'abord, pendant environ une minute, j'aimerais que vous souhaitiez la bienvenue à ceux qui vous entourent. Attention, gardez toujours présent à l'esprit que vous êtes en train de guetter l'arrivée d'un interlocuteur très important. Ceux que saluez ne sont que du menu fretin.

Très vite, l'auditorium se mit à bruire de bonjours plus ou moins discrets. Tout le monde se serrait la main en échangeant une ou deux politesses. Mais le cœur n'y était pas : les voix restaient basses et les parties en présence évitaient de se regarder dans les yeux.

– Ça suffit, coupa Anne-Marie après quelques instants. Maintenant, j'aimerais que vous souhaitiez la bienvenue à ceux qui vous entourent comme s'il s'agissait de vieux amis que vous n'avez pas vus depuis longtemps et que vous êtes très heureux de revoir.

Immédiatement, la pièce s'anima et résonna de voix fortes et claires. Les gens souriaient avec chaleur, se serraient la main avec enthousiasme ou échangeaient de vigoureuses tapes dans le dos.

– Vous pouvez vous rasseoir, annonça Anne-Marie en tentant de surmonter le vacarme.

En vain. Ce deuxième exercice avait beaucoup amusé le public. Et même après son intervention, le niveau sonore de la pièce resta élevé pendant un bon moment.

– D'après vous, quel était l'objet de ces deux simulations ? finit-elle par lancer quand les participants recouvrèrent leur calme. De souligner le principe d'énergie, annonça-t-elle. Je suis convaincue que pour motiver les équipes et faire prospérer une entreprise, il est indispensable de savoir diriger l'énergie de ses interlocuteurs. Parmi les deux choses que je vous ai demandées, laquelle a généré le plus d'énergie ?

– La seconde, répondit l'assemblée d'une seule voix.

– C'est vrai. Et comment ai-je réussi à accroître l'énergie dans la pièce ? Je me suis contentée de vous demander de modifier votre état d'esprit. La première fois, vous étiez focalisés sur le négatif : vos voisins ne valaient pas grand-chose, une sommité étant attendue. La seconde fois, je vous ai donné un but positif. Cette différence d'intention a-t-elle entraîné une différence de votre niveau d'énergie ? C'est le moins qu'on puisse dire !

Tandis qu'Anne-Marie Butler faisait une courte pause pour se désaltérer, l'assemblée bourdonnait d'enthousiasme. Son introduction avait mis l'eau à la bouche des auditeurs, impatients d'entendre la suite. Ils étaient prêts. Ils étaient *motivés*.

– Combien d'entre vous ont assisté au spectacle de Shamu l'épaulard au parc de SeaWorld ?

La majorité des mains se leva.

– En apprenant à connaître Dave Yardley et son équipe de dresseurs, au SeaWorld d'Orlando, j'ai trouvé leurs secrets fascinants. Vous êtes sûrement en train de vous demander le rapport entre le dressage des orques et la motivation de vos employés ou de vos enfants. Il y en a un. Et même d'importance. Toutes les techniques qu'ils emploient pour entraîner ces mammifères marins fonctionnent aussi bien, sinon mieux, avec les humains. Pourquoi ? Parce qu'on peut *parler* aux humains. Je vais maintenant vous décrire quelques-unes de ces techniques, afin que vous puissiez réfléchir au meilleur moyen de les appliquer. Pour commencer, permettez-moi de vous expliquer les trois bases du management des performances.

À cet instant, une projection apparut sur l'écran géant situé derrière l'estrade.

Les trois secrets
de la performance

Activateur

**Ce qui fait avancer
la performance**

Comportement

**Le déroulement
de la performance**

Conséquence

**Votre réaction
à la performance**

– Commençons par le premier point : l'activateur, reprit Anne-Marie. J'entends, par activateur, tout ce qui provoque le comportement ou les résultats espérés. Les dresseurs de SeaWorld utilisent des codes, indiquant aux orques ce qu'ils attendent d'eux. Ce sont des mouvements des bras ou de la main, des coups dans l'eau, ou des coups de sifflet. Avec les hommes, un activateur peut être un mode d'emploi, une formation, ou les remarques d'un chef d'équipe. Mais les activateurs les plus courants sont les objectifs. Dans mon travail avec les entreprises, je demande parfois aux managers de me parler des objectifs de leurs troupes et vice-versa. Quand nous comparons leurs buts, ils sont presque toujours différents. Il arrive même assez souvent qu'ils n'aient absolument rien à voir. Dans ce cas, il n'est pas surprenant que le personnel se fasse critiquer par son chef pour ne pas avoir satisfait aux exigences de la hiérarchie. Nous ne sommes pas tant confrontés à la mauvaise volonté des équipes qu'au manque d'efficacité d'une tactique de management. À la base de tout résultat positif, il existe un objectif précis. Si les dirigeants et leurs employés ne se réunissent pas pour développer ensemble des buts accessibles, intelligents et compréhensibles par tous, il est logique que les exécutants n'aient pas une idée claire des attentes de leur direction. Si vos équipes ne comprennent pas ce que vous leur demandez, tous vos actes de management se retrouvent sans fondement. Rappelez-vous *Alice au pays des merveilles*. En arrivant à un embranchement sur la route, notre héroïne rencontrait le chat de Cheshire et l'interrogeait : « Quelle route dois-je prendre ? – Où vas-tu ? répondait le chat. – Je ne sais pas, déclara Alice. – Alors, ça n'a aucune importance », concluait le chat.

« Eh bien, sachez qu'il en va de même pour le principe d'activation. Tout ce qui déclenche le résultat est important, poursuivit Anne-Marie Butler. Mais ce n'est que le début du processus. Après avoir motivé les hommes et leur avoir fixé des objectifs assez clairs pour qu'ils puissent les atteindre, il vous faut observer le comportement qui s'ensuit, le deuxième principe. Dans le cas d'un épaulard, le dresseur étudie la façon dont il saute hors de l'eau, dont il accepte ou non de le prendre sur son dos pour lui faire faire le tour de la piscine, dont il éclabousse les spectateurs d'un coup de queue ou encore dont il fait une révérence. Dans le monde de l'entreprise, il peut s'agir de s'adresser agréablement aux clients, de remplir un quota de ventes, ou encore de rendre un rapport en temps voulu. Avec les enfants, cela peut être de les inciter à ranger leur chambre ou à faire leurs devoirs. Observer le comportement qui suit le déclenchement initial est une étape du processus trop souvent négligée par les managers. Même lorsqu'ils obtiennent les résultats souhaités.

Une fois les objectifs établis et après avoir dispensé la formation nécessaire, ils ne s'en occupent plus. S'ils agissent ainsi, ils sont mal placés pour se plaindre de la troisième étape du processus – et la plus importante : la conséquence, ce qui découle du comportement obtenu. Avant d'aller plus loin, je dois vous poser une question capitale. Quand vous faites correctement votre travail, quel type de réaction obtenez-vous de votre entourage ?

Le public se mit à réfléchir puis à sourire, et partit enfin d'un grand éclat de rire.

– Il n'arrive rien ! Personne ne fait aucun commentaire ! répondit l'un des spectateurs, prenant spontanément la parole pour tous.

– C'est tout à fait vrai, commenta Anne-Marie. La réaction la plus fréquente à un résultat est l'absence de réaction. Personne ne semble s'en rendre compte ni s'en soucier, à moins que... quoi ?

– À moins que le résultat soit un échec, lança un membre de l'assistance.

– Quand je demande aux gens partout dans le monde : comment savez-vous si vous avez fait du bon travail ? La réponse la plus fréquente est : quand mon patron ne me remonte pas les bretelles. En d'autres termes : pas de nouvelles, bonne nouvelle. Mais regardons ces diapositives.

Activateur

Comportement

Conséquence

– De ces trois étapes, la troisième est celle qui a le plus d'impact sur les performances. Néanmoins, ainsi que nous en somme tous convenu, les bons résultats recueillent l'indifférence générale. Il y aurait pourtant trois autres types de réactions possibles.

Une nouvelle image s'afficha sur l'écran :

Quatre conséquences :

1. Pas de réaction

2. Réaction négative

3. Ré-acheminement de l'énergie

4. Réaction positive

– Nous avons déjà évoqué les deux premiers types de réaction jusqu'à un certain point, rappela Anne-Marie. La plus populaire, bien sûr, est la première : pas de réaction. Nous avons tellement pris l'habitude qu'un succès reste inaperçu que cette négligence passe pour la norme. Résultat, la réaction anticipée ou appréhendée est la deuxième, la négative. La majorité des employés sont régis par un management sur ce mode : « Pas de nouvelles, bonne nouvelle. » Leur patron ou chef de service n'émet pas de commentaire tant qu'ils ne commettent pas d'erreur. L'absence de réaction est donc suivie par une réaction négative. Cette dernière est multiforme : ce peut être un regard lourd de sous-entendus, une critique orale, une brimade ou une punition.

« Les deux dernières réactions de notre liste – le ré-acheminement de l'énergie et la réaction positive – sont les moins pratiquées, alors qu'elles sont les plus efficaces. Analysons tout d'abord le ré-acheminement. Quand on m'oppose à cette idée le fait qu'il est impossible se contenter d'ignorer un comportement négatif ou une contre-performance, je suis d'accord. Mais les dresseurs d'orques m'ont transmis leur expérience. Si ces mammifères font quelque chose d'inacceptable, leurs entraîneurs redirigent leur énergie et leur attention soit sur ce qu'ils devaient faire en premier lieu, soit sur autre chose. Le ré-acheminement est la réaction ayant le plus d'effet face à un comportement insatisfaisant. Dave Yardley, mon ami de SeaWorld, m'a expliqué en détail comment cela se passe. Quand une orque dévie de la ligne prévue, son dresseur feint de ne pas le remarquer, et passe immédiatement à autre chose. Il redirige l'orque sur une autre tâche à effectuer et observe sa nouvelle

44

performance avec attention, afin de pouvoir la féliciter en cas de réussite.

« Comment peut-on rediriger l'énergie humaine ? Tout d'abord, je tiens à vous dire ceci : le ré-acheminement est le meilleur moyen d'éviter de s'empêtrer dans une situation déplaisante. Ce type de réponse fonctionne dans la grande majorité des cas où vous auriez été plutôt tenté de réagir négativement. C'est une attitude très efficace pour remettre la personne sur le droit chemin, tout en conservant son respect et sa confiance. Attention : pour cela, il est impératif de ne pas lui avoir fait remarquer le comportement négatif qu'elle a eu précédemment.

Alors qu'Anne-Marie poursuivait, les yeux de Wes Kingsley se voilèrent soudain. Une image lui revenait. Il se souvenait avec précision de Mike Talmadge, son supérieur hiérarchique chez Benning. Mike était sans conteste le meilleur manager qu'il ait jamais eu. Dès son embauche, Wes s'était senti soutenu par le vieil homme. La confiance qu'il lui témoignait avait décuplé son envie de réussir et il s'était jeté dans le travail à corps perdu.

Wes se voyait encore pénétrer dans le bureau de Mike, ce jour-là. Celui-ci était en train d'étudier des documents. En se levant vers lui, son regard était resté sévère.

– Asseyez-vous Wes, avait-il dit, nous devons voir certaines choses ensemble.

– Bien sûr, avait répondu Wes en prenant une chaise.

Il était très intrigué par le sérieux de Mike.

– J'ai en main vos relevés de ventes du mois dernier. Certains d'entre eux signalent que vous êtes allé prospecter l'usine Harrelson. Je me trompe ?

Pour toute réponse, Wes avait secoué la tête.

– Saviez-vous qu'Harrelson est l'un des clients de Shauna Dietrich depuis plus d'un an ? reprit Mike.

– Non, pas du tout, avait rougi Wes.

– Bon, c'est ma faute. J'ai commis une erreur en négligeant de vous indiquer précisément l'attribution des territoires entre commerciaux. Rapprochez votre chaise de mon ordinateur, avait poursuivi Mike en orientant l'écran vers Wes. Je vais vous montrer comment obtenir cette information en quelques secondes.

Wes avait senti une vague de soulagement l'envahir. En prenant la faute sur lui, son chef avait supprimé la tension. Toute appréhension envolée, Wes s'était empressé d'écouter les explications de Mike…

Il tenta de décomposer mentalement cette entrevue : *En premier lieu, Mike a décrit mon erreur sans me la reprocher. En deuxième lieu, il a endossé la faute, ce qui a supprimé mon stress. Cela m'a permis d'être ouvert et prêt à intégrer une nouvelle donnée. Il n'y a pas eu l'ombre d'une réprimande. Il a même analysé mon boulot en détail, en décrivant et en expliquant comment j'aurais dû m'y prendre. Troisièmement, il a renouvelé la confiance qu'il avait en moi. Quatrièmement, en sortant de son bureau, je savais précisément ce que je devais faire et comment, et j'étais enthousiasmé à l'idée de me remettre au travail pour lui et pour l'entreprise.*

Wes comprit que Mike avait adopté une réaction type de ré-acheminement. La preuve de son efficacité n'était pas à faire : il avait été heureux de la façon dont Mike l'avait traité. Et cette expérience avait renforcé son énergie et son engagement au sein de l'entreprise. À peine quelques mois plus tard, Wes était devenu le commercial le plus important de la maison, un statut qu'il avait gardé pendant tout son temps chez Benning.

Au moment où il se remit à écouter le discours d'Anne-Marie, une nouvelle diapositive était déjà à l'écran.

Le ré-acheminement

Décrivez l'erreur ou le problème
le plus tôt possible, clairement,
et sans émettre de reproche.

Montrez en quoi son impact est négatif.

Si c'est possible, reconnaissez
que vous auriez dû clarifier
l'objectif auparavant.

Entrez dans le détail de la tâche
qui aurait dû être réalisée et assurez-vous
qu'elle est désormais bien comprise.

Renouvelez votre confiance au fautif.

Rassuré de constater qu'il comprenait les rouages de la réaction de ré-acheminement de l'énergie, Wes rendit toute son attention à l'oratrice.

– Quand on soumet un résultat à son supérieur hiérarchique, poursuivait Anne-Marie, il arrive que celui-ci offre la quatrième réponse possible : la réaction positive. À SeaWorld, celle-ci prend diverses formes. Les dresseurs peuvent donner aux épaulards un seau de poissons, leur caresser leur ventre, leur offrir des jouets ou leur accorder du temps libre. Au travail, il peut s'agir de présenter des félicitations, de fournir l'occasion d'une nouvelle formation ou même d'accorder une promotion. Avec les enfants aussi, les choix sont nombreux. Nous pouvons les applaudir, leur faire un câlin, les laisser regarder la télévision, leur offrir un bonbon ou les faire bénéficier d'une permission spéciale. Quand un bon résultat est suivi d'une réaction positive, il est naturel que l'auteur de la performance ait envie de la renouveler. N'oublions pas que le but du ré-acheminement n'est autre que de provoquer, *in fine*, une réaction positive. Autre précision importante : il n'est pas nécessaire d'attendre d'être confronté à un comportement absolument parfait pour réagir positivement. Car si c'était le cas, vous risqueriez d'attendre toute la vie !

Une autre diapo illumina l'écran.

Louez le progrès. C'est déjà un pas vers la réalisation des objectifs.

– Nous touchons maintenant au cœur de la technique des dresseurs de SeaWorld, annonça Anne-Marie. Comment pensez-vous qu'ils apprennent aux épaulards à extraire leur corps de l'eau pour sauter par-dessus une corde ? Vous croyez peut-être qu'ils organisent une sortie en mer, avec vedette et mégaphone et qu'ils crient : « Saute, saute ! » jusqu'à ce qu'une orque ait la gentillesse de bien vouloir survoler la corde installée en travers du bateau ? Non. Quand ils commencent le dressage d'une nouvelle recrue, celle-ci sait déjà sauter, mais pas au-dessus d'une corde. Pour lui apprendre cette technique, la démarche est simple. Les dresseurs installent un filin sous l'eau, à une hauteur suffisante par rapport au fond du bassin pour qu'une orque puisse s'y glisser. Si l'orque passe sous la corde, ils l'ignorent, mais s'il nage au-dessus de la corde, ils lui font fête et la nourrissent.

« Shamu n'est pas un imbécile. Après plusieurs séances d'entraînement, il a perçu le lien de cause à effet entre le filin et la gâterie. Cela l'a conduit à nager au-dessus du filin plus souvent. La réaction des dresseurs ? Ils ont relevé la corde d'un cran. Et ainsi de suite. Pourquoi ? Tout simplement parce que si le spectacle consistait à écouter les commentaires de l'entraîneur penché au-dessus du bassin, annonçant de loin en loin : « Ça y est, Shamu a réussi ! », cela n'aurait guère été palpitant. Le public se serait senti floué. Leur objectif était donc de faire sortir Shamu de l'eau coûte que coûte.

Wes sourit avec le reste du public.

– Ce dont il faut se rappeler ici est que le progrès ne passe jamais inaperçu. Il est constamment noté, signalé et récompensé. Et nous devons faire la même chose avec les êtres humains. Remarquer chaque étape réussie de leur travail et applaudir à leurs progrès, même si les résultats ne sont pas encore parfaits. Nous pouvons ainsi les lancer sur la voie du succès et commencer à construire une véritable relation de confiance productive.

Wes Kingsley avait écouté le discours d'Anne-Marie avec attention. Sa remarque sur le progrès venait de faire surgir de sa mémoire un nouveau souvenir. Il se rappelait soudain la façon dont Joy, sa jeune épouse, et lui avaient appris à marcher à leur fille aînée. Ils l'avaient mise debout puis

51

lâchée et observé son ravissement alors qu'elle vacillait sur ses petites jambes. Quelques instants plus tard, elle retombait à quatre pattes en riant aux anges. C'était un jeu qu'ils avaient aimé partager, qui les avait tous trois beaucoup amusés et n'avait pas comporté d'autres règles que celles de l'amour. Mais, et il s'en rendait compte à cet instant, c'était un jeu lourd de sens. Chaque fois que la petite fille se tenait debout, maman et papa se mettaient à rire et à battre des mains. Applaudie par un public aussi chaleureux, il aurait vraiment été difficile de ne pas avoir envie de renouveler le numéro. Plus tard, était venu l'instant mémorable où la petite avait risqué un premier pas. Bien sûr, elle s'était immédiatement rassise après sa performance, ravie par le tonnerre d'applaudissements saluant son succès. Et Wes l'avait serrée dans ses bras avec fierté.

– Tu as marché, tu as marché ! avait-il répété.

Ce souvenir le faisait sourire. *Voilà ce qui s'appelle louer le progrès,* pensa-t-il. *C'est une bonne chose que je n'aie pas puni les enfants quand ils ne réussissaient pas à se lever et à marcher du premier coup. Qu'est-ce que ça aurait donné ? Une véritable catastrophe.*

– Je vais vous poser une question, relança Anne-Marie. Qu'est-ce qui est le plus facile : repérer les gens qui font des erreurs ou ceux qui font bien leur travail ?

– Ceux qui font des erreurs ! répondit la foule d'une seule voix.

– Excellent ! reprit-elle d'un ton qui fit aussitôt comprendre à son public qu'elle exagérait à dessein sa réaction positive. Dans une équipe, identifier les membres qui font fausse route est facile, reprit-elle. Il suffit d'attendre que se produise la faute. Une fois qu'elle a été commise, vous la montrez du doigt et vous passez pour un chef à qui rien n'échappe. C'est ce que j'appelle la réaction « Je t'ai eu ». Rien de particulier à en dire. De nombreux cadres ou dirigeants la pratiquent. Ils laissent leurs employés en paix jusqu'à ce qu'ils commettent une bêtise quelconque. C'est alors qu'ils interviennent, font un joli scandale et resserrent la vis à tout le monde.

Wes, comme bien d'autres membres du public, n'avait aucun mal à imaginer ce type de comportement.

– Savoir repérer les membres d'une équipe qui font les choses correctement est ce que j'appelle la méthode du « bon point ». J'aurais pu la surnommer « Cétacé bien », mais le terme n'aurait pas été assez flatteur pour mon propos.

Les rires étouffés de l'assemblée prouvèrent que tous avaient goûté le jeu de mots.

– Cette technique est beaucoup plus délicate, car elle exige de la patience et la capacité de contrôler ses premières réactions. Au début, elle vous sera d'autant moins naturelle si, jusqu'à présent, vous avez ignoré les réussites de vos subordonnés et privilégié l'attitude « Je t'ai eu ». Il vous faudra alors apprendre à observer leurs actions de façon radicalement différente. Il vous faudra même fermer délibérément les yeux sur les comportements qui, auparavant, déclenchaient votre intervention. En d'autres termes, vous devrez vous mettre en quête de nouveaux indicateurs. Cette traque du progrès ou du bon résultat peut vous demander beaucoup d'efforts, mais sachez que ceux-ci en valent la peine : ils génèreront des bénéfices bien plus importants. C'est parce que vous féliciterez vos employés, ou votre entourage familial, de recueillir de si bons résultats que vous leur donnerez envie d'en produire d'autres.

« Il sera toujours de payant de ponctuer le quotidien de vos proches de chaleureuses petites tapes sur l'épaule appuyées d'un « C'est bien » ou d'un « Beau boulot ». C'est ce que j'appelle les « petites félicitations du jour ». Mais la véritable méthode du « bon point » est beaucoup plus élaborée. Elle se décompose en plusieurs étapes que je vais vous exposer maintenant.

Une nouvelle diapositive apparut.

La méthode
du bon point

**Félicitez à chaud
et en public.**

**Expliquez clairement
ce qui suscite
votre approbation.**

**Encouragez l'intéressé
à poursuivre
dans la même voie.**

– Il y a quelques semaines, j'ai vécu une expérience qui peut illustrer cette réaction, reprit Anne-Marie. Je rendais visite à l'un de mes amis, responsable régional d'une chaîne de vente au détail. Il voulait me montrer l'un de ses magasins et nous nous y sommes rendus. Après m'avoir présenté la directrice, mon ami lui a dit : « Pourquoi ne nous offririez-vous pas une petite balade de gratification dans les locaux ? » La jeune femme eut l'air complètement déconcertée jusqu'à ce que mon ami lui précise : « Montrez-nous tout ce qui marche bien ici. » Rassurée, la directrice a été ravie de nous désigner tous ses employés modèles et de nous raconter leurs prouesses. Cela lui a donné l'occasion de féliciter ses troupes, sur leur lieu de travail et devant le grand patron. Aucun doute : cette expérience allait motiver le personnel et le pousser à améliorer ses résultats. Mais, allez-vous me demander, le responsable régional n'était-il donc pas curieux de savoir ce qui ne marchait pas ? Bien sûr que si, et voici ce qu'il a dit à la directrice à la fin de la visite : « Maintenant que je sais tout ce qui va bien ici, y a-t-il des problèmes auxquels vous êtes confrontée et pour lesquels nous pourrions vous donner un coup de main au siège social ? » Comprenant que cette proposition ne recélait aucun piège, la directrice se sentit assez en confiance pour discuter avec lui des améliorations nécessaires.

Wes Kingsley se remémora ce que Dave Yardley lui avait dit sur la nécessité d'établir une base de confiance avant de pouvoir se mettre à travailler.

– Ce qui me plaît dans l'attitude du responsable régional, poursuivit Anne-Marie, c'est qu'il a d'abord tenu à se faire exposer les points positifs du magasin. Après seulement, il a permis à la directrice de lui dire ce qui clochait. Et il lui a laissé toute latitude pour agir comme elle l'entendait.

Une nouvelle diapositive apparut, résumant les deux réactions dont venait de parler Anne-Marie.

« Je t'ai eu »
Guetter les erreurs

« Un bon point pour toi »
Repérer les bons éléments

– Si pendant vos années de formation, on vous a souvent infligé le « Je t'ai eu », il y a fort à parier qu'aujourd'hui vous reproduisiez d'instinct cette méthode. Mais si votre objectif de manager est l'amélioration des performances, il est capital que vous commenciez à utiliser la méthode du bon point. Son application est encore trop rare dans l'entreprise. Notre attention est éveillée par les maladresses plutôt que par les succès. Et c'est de cette mauvaise habitude qu'il faut nous débarrasser !

« L'attention est aux êtres humains ce que le soleil est aux plantes. Quand nous leur accordons de l'importance, ils progressent à vue d'œil. Quand nous les ignorons, ils se fanent. Voulez-vous connaître le paradoxe responsable de la majorité de nos difficultés relationnelles, tant professionnelles que conjugales ou parentales ? Voici l'exemple évident qui l'illustre. Dans vos rapports avec les autres, quand êtes-vous le plus vigilant ? Lorsqu'ils font quelque chose qui vous déplaît. Et quand faites-vous le moins attention à eux ? Lorsque tout va bien. Une attitude typiquement parentale consiste à se dire : « Les enfants s'amusent bien ensemble. Ils sont vraiment mignons. C'est le moment ou jamais de faire une petite pause… »

« Eh bien, c'est une erreur, reprit Anne-Marie après avoir longuement regardé le public. Quand nous n'agissons pas au moment précis où les choses se passent bien, nous perdons une belle occasion de motiver autrui. Au lieu d'en profiter pour les féliciter, nous ne leur accordons plus aucune attention et nous cessons même de communiquer avec eux. Si nous sortions de notre silence radio, nul doute qu'ils seraient tentés de reproduire ce comportement plus souvent.

– C'est vrai, reconnut le public.

– Bien sûr que c'est vrai ! Et c'est d'ailleurs pourquoi il est temps de nous réveiller ! Nous devons féliciter et encourager notre entourage au moment où il comble nos attentes, quand il se corrige ou quand il progresse. Si je devais tirer un seul signal d'alarme, ce serait pour qu'aucun manager n'oublie cette règle de base, conclut Anne-Marie en se tournant vers l'écran derrière elle, qui affichait déjà une nouvelle diapositive.

Réveillez-vous et dites quelque chose de positif quand tout va bien !

Elle a raison, se dit Wes Kingsley, *il est temps que je m'y mette.*

– Je veux que vous le sachiez, intervint Anne-Marie : je suis bien consciente qu'il est difficile de changer d'attitude. Et tout particulièrement si l'on est rompu depuis longtemps à la pratique du « Je t'ai eu » : repérer la faute et l'accompagner d'un avertissement. Il vous faut donc un moyen mnémotechnique pour vous rappeler d'accorder désormais à votre entourage tous les bons points qu'il mérite. Que vous soyez au bureau ou en famille, visualisez, par exemple, tout le monde portant un petit panneau indiquant : « Dites-moi quand c'est bien. » Ça parait idiot, mais ça marche !

« Cette stratégie est si payante qu'elle a révolutionné bien des équipes et des entreprises. J'encourage chacun de vous à commencer à la mettre en pratique aujourd'hui, ou dès ce soir en rentrant chez vous. Choisissez de répondre de façon positive à la présence de votre entourage. Quand vous aurez fait les premiers pas sur ce nouveau chemin, et surtout dès que vous aurez constaté ses effets dopants, vous constaterez que vos relations s'en trouveront dynamisées. Et c'est ce qui vous encouragera à poursuivre.

Il vous arrivera, bien sûr, d'oublier votre nouveau mot d'ordre. Après une sale journée, en retrouvant la maison, vous recommencerez à vous en prendre au premier venu. Mais si vous faites l'effort de mettre l'accent sur les bons côtés des agissements de chaque membre de votre entourage, cela finira par devenir une habitude. Et vous en retirerez une manne de bénéfices que vous ne soupçonnez pas.

Wes nota la phrase « Mettre l'accent sur le positif dans mes relations » sur son calepin, et la souligna.

– Je dois vous dire, reprenait Anne-Marie, que les bons points vous épargneront aussi de nombreux soucis. L'autre jour, à l'aéroport, j'attendais pour acheter un billet d'avion et l'homme juste devant moi était particulièrement odieux avec l'hôtesse. Il a commencé par se plaindre de ses réservations, puis d'un retard de vol et s'est mis à critiquer la compagnie aérienne pour son incompétence. Il était ouvertement grossier et sarcastique. Pour finir, l'hôtesse lui indiqua sa porte d'embarquement, et ce fut mon tour. Je m'avançai et lui dis : « Vous vous en êtes vraiment bien sortie avec ce type. Vous m'avez impressionnée en parvenant à rester si calme et si maîtresse de vous ! – Merci, me répondit-elle. Ça fait du bien, un petit compliment. Laissez-moi vous confier un secret : notre ami vient de s'embarquer pour Chicago, mais ses sacs, eux, sont déjà en route pour Seattle. Dommage. »

« Sur ce, elle me transféra en première classe de sa propre initiative, conclut Anne-Marie sous les rires de l'assemblée. Quand vous mettez l'accent sur le positif, je vous garantis que les performances s'améliorent, tout comme vos relations avec autrui. Tout ce que vous faites a une incidence sur les événements. Et, ainsi que nous l'avons vu, tout ce que vous ne faites pas. Alors, analysez lucidement vos réactions habituelles. Aucune ? Toujours négatives ? Ré-acheminement, réaction positive ou distribution de bons points ? Inutile de vous rappeler que je suis une fervente adepte du bon point !

« Et comment réagir face à un comportement inacceptable ou à un très mauvais résultat professionnel, me direz-vous ? Je recommande généralement la re-direction de l'effort. Mais si la personne en question persiste, alors il faut admettre que l'on se trouve devant un problème. Dans ce cas, un ré-acheminement aura peu d'effet, car l'employé en cause sait exactement ce que vous attendez de lui. N'ayez crainte, il sait également que son attitude est inadmissible. Il n'empêche : une réaction négative de votre part ne peut être qu'un dernier recours. Avant cette extrémité, il vous reste toute une palette de possibilités : lui dire immédiatement et précisément que ce qui a été fait est inacceptable, lui rappeler l'impact négatif de son action et lui exposer les sentiments que vous éprouvez – la déception, la frustration, ou la perplexité. Malgré ça, n'oubliez pas : le propos n'est pas l'exposé de vos impressions, vous devrez donc toujours finir ce type de message par une note positive. L'employé a besoin de savoir que c'est son comportement, et non pas lui personnellement, qui est inacceptable.

« Aujourd'hui, continua Anne-Marie, les choses changent si vite et si souvent que peu de gens ont l'occasion de devenir des experts dans leur branche. Pour rester à flot, nous devons subir une sorte d'apprentissage permanent. C'est pour cette raison que si les gens commettent des erreurs, la re-direction de leurs efforts est plus appropriée qu'une réaction négative, même assortie d'un petit mot d'encouragement.

« Souvenez-vous aussi de ceci : lorsque vous critiquez le travail de quelqu'un, fût-ce gentiment, votre relation avec cette personne s'en ressentira. Votre interlocuteur perdra toute confiance et cherchera à vous rendre la pareille. Faites le parallèle entre une relation humaine et un compte en banque. Si vous tenez à être négatif avec quelqu'un, vous avez intérêt à jouir d'un peu de crédit auprès de lui. Soyons précis : mieux vaut que vous lui ayez déjà donné de nombreux bons points. Ainsi, et ainsi seulement, il ne vous en voudra pas. Quand la confiance est là, tout est possible. Les bons points – la mise en valeur systématique de l'aspect positif des choses – sont toujours à l'origine d'un cycle constructif.

« J'ai un cadeau pour vous, annonça-t-elle sans transition. Juste pour vous montrer que j'apprécie la façon dont vous avez illustré l'esprit du bon point avec moi ce matin.

Sur un geste d'elle, des hôtesses chargées de paquets s'avancèrent du fond de l'auditorium. Anne-Marie reprit la parole alors qu'elles se dispersaient dans les allées, pour distribuer leurs présents.

– Quand vous ouvrirez votre cadeau, vous aurez entre les mains ce que mes amis de SeaWorld et moi-même avons choisi pour symboliser officiellement un bon point.

Les commentaires animés fusaient à travers la pièce pendant que chaque personne du public examinait son cadeau. C'était un petit épaulard, bien dessiné, aux couleurs réalistes. Sur son ventre étaient inscrits ces quelques mots : « un bon point pour vous ».

– Vous pouvez utiliser ces cadeaux pour lancer le mouvement dans votre entreprise, suggéra Anne-Marie. Si quelqu'un fait quelque chose de bien, donnez-lui un épaulard et demandez-lui de le passer à la prochaine personne qui le méritera. Si vous en avez besoin en quantité, faites-le moi savoir. Je vous garantis que ce sont les meilleurs gris-gris du marché.

Le mélange d'idées, de concepts et de conseils pratiques d'Anne-Marie avait visiblement fait son effet sur le public. À la fin de sa conférence, tout le monde se leva pour l'applaudir. Puis les hauts parleurs se mirent à diffuser doucement une vieille chanson qui fit sourire l'assemblée et chantonner une bonne partie des participants : « Vous devez mettre l'accent sur le positif, éliminer le négatif, saisir l'affirmatif… »

Chapitre 3

– Vous êtes Wes ? Ravie de vous rencontrer.

Wes se leva de son siège à la table du salon de thé où il avait attendu Anne-Marie.

– Votre conférence m'a beaucoup plu, affirma-t-il. Merci de m'avoir invité !

– Alors comme ça, vous avez passé un peu de temps à SeaWorld avec mon ami Dave Yardley, attaqua Anne-Marie après avoir commandé un café. Il vous a présenté son professeur ?

– Shamu ? Oui, Dave et lui ont tous deux été sensationnels avec moi. Et vous, comment les avez-vous rencontrés ?

Anne-Marie sourit, tout en s'installant plus confortablement sur son siège. À son expression d'aise, Wes devina qu'elle ne manquait jamais une occasion de raconter son histoire.

– Un jour, commença-t-elle, alors que j'exécutais un boulot pour un gros client en Floride, j'ai organisé une sortie à SeaWorld avec l'un des groupes de travail, et nous avons assisté au spectacle de Shamu. Ces orques sont magnifiques, non ? En tout cas, elles m'ont donné matière à réflexion. Chaque fois que j'entre dans un magasin, un restaurant, ou un bureau et que j'y vois du dynamisme et de la passion, je veux savoir pourquoi. Qu'est-ce qui rend cet endroit enthousiasmant, comment se fait-il que le personnel s'y plaît ? En assistant au spectacle de Shamu, en voyant à quel point les dresseurs et les épaulards ont l'air de prendre du bon temps, et combien leur plaisir est communicatif, j'ai voulu connaître leurs secrets. Alors, tout comme vous, je suis allée voir Dave Yardley et je lui ai posé la question. Et là, surprise ! Ses principes de formation étaient identiques aux miens ! C'est à partir de cette visite que j'ai échafaudé la méthode du bon point.

– Votre conférence retraçait exactement ce que j'ai appris moi-même à Sea World, renchérit Wes. Dave m'a expliqué que tout le dressage des animaux repose sur le principe de l'absence de punition. Il m'a exposé également la nécessité de créer des relations positives avec eux, fondées sur la confiance. Visiblement, s'ils réagissent négativement aux erreurs des orques, leur dressage s'en trouve considérablement freiné. Comme vous, ils sont persuadés que ce vous appelez la méthode du bon point est essentielle. Mais dans votre conférence, ce qui m'a intéressé, c'est le concept du réacheminement. C'est sans doute celui qui pose le plus question, car il répond à un souci majeur : que faire face à un comportement inapproprié ou à un résultat inacceptable ?

– Vous avez raison, la réaction de re-direction est très importante.

– Si j'ai bien compris, la maîtrise permet aux personnes en cause de corriger leurs erreurs ou d'améliorer leurs résultats. Cela peut conduire à la construction d'une relation plus confiante, et même à l'obtention d'un bon point.

– Absolument, Wes. Et pourtant, rares sont ceux qui en ont conscience.

– À mon avis, ces idées m'intéressent autant car elles bouleversent toute ma formation. C'est le contraire de ce que m'ont inculqué mon père, mes professeurs et mes anciens employeurs.

– Je vois, vous avez été formé au « Donnez-moi ce que je demande, ou prenez la porte », non ?

– Tout à fait. J'ai eu les meilleurs modèles pour devenir à mon tour un parent et un manager fonctionnant sur le mode « Je t'ai eu ».

– Votre expérience est dans la norme, le rassura Anne-Marie. C'est l'effet d'écho du « Je t'ai eu ». Le chef se défoule sur l'un de ses managers, ce manager s'en prend à l'un de ses associés. Celui-ci rentre chez lui et hurle sur son épouse, qui gronde leur fils, qui donne un coup de pied au chat.

– Vous savez, Anne-Marie, c'est vraiment étonnant. Toute cette insistance sur les points positifs me pousse à faire carburer mes petites cellules grises. Les deux fois – quand j'étais à SeaWorld avec Dave et quand je vous écoutais ce matin –, je me suis imaginé en train de me comporter autrement avec mon entourage. Je me suis dit : et pourquoi ne pas commencer à mettre en valeur ce qui va bien ? Tous ces gens ont fait du bon boulot autour de moi depuis des années et j'ai toujours pris leurs succès comme un acquis. Ils méritent mieux. Penser ce genre de choses, c'est complètement nouveau pour moi. J'imagine que dès que quelqu'un fait correctement son travail, je dois lui donner un bon point, c'est ça ?

– Pas exactement.

Wes la regarda avec perplexité.

– C'est le mot « correctement » qui me gêne, précisa Anne-Marie. Pourquoi attendre qu'ils aient parfaitement réussi leur tâche pour réagir ? Vous vous souvenez de ce que j'ai dit sur la façon dont les dresseurs de SeaWorld ont poussé les épaulards à sauter à l'air libre ?

– Oui, ils récompensaient leurs progrès, le moindre de leurs mouvements allant dans le bon sens.

– Exactement ! C'est cette règle-là que vous devrez suivre.

– Pas mal, commenta Wes. Mais ne vous êtes-vous jamais demandé si la stratégie des bons points ne pouvait pas s'apparenter à de la manipulation ? Je comprends pourquoi les orques obtiennent une récompense quand elles obéissent aux consignes du dresseur, mais au fond je suis contre l'idée que le comportement humain soit seulement guidé par les récompenses et la reconnaissance. Les gens ne sont pas des animaux. Ils jouissent de leur libre arbitre et ne font pas ce que les autres attendent d'eux dans l'espoir d'une récompense. Ils le font parce qu'ils pensent juste de le faire.

– Je suis contente que vous abordiez cet aspect du problème. Il y a deux choses à comprendre à propos de la manipulation. D'abord, sachez ceci : les seules personnes n'ayant pas besoin d'une motivation extérieure sont les entrepreneurs – ceux qui possèdent leur propre affaire, ou ceux qui travaillent en indépendant. Leur motivation est toute personnelle et leurs objectifs coïncident avec ceux de leur entreprise. Tous les autres – employés, enfants, ou orques de SeaWorld – sont censés faire ce qui leur est demandé, et qu'ils ne feraient peut-être pas de leur propre initiative.

– Comme lorsque mes enfants doivent ranger leur chambre ? suggéra Wes un peu ironiquement.

– Tout juste. C'est pour ça qu'il est important de découvrir la motivation des gens. Mais il n'y a pas que ça. Votre but n'est pas que votre entourage devienne dépendant de vos éloges et de votre attention, au point que leur moindre action soit mue par le désir que vous le remarquiez. L'objectif d'un bon manager est que son équipe fasse tout le temps du bon boulot, même quand il n'est pas là pour le vérifier. Aucun patron ne souhaite que ses employés soient motivés uniquement par les compliments ou les augmentations. De la même façon, nous n'aimerions pas que nos enfants s'attendent à avoir un bonbon chaque fois qu'ils participent aux corvées domestiques ou qu'ils sont sages. Ce qu'il faut, c'est que les gens fassent leur travail parce que ça leur plaît, à eux. Comme les épaulards que vous avez admirés au spectacle. Ça les amuse de se produire devant une foule. L'objectif final de la méthode des bons points est d'aider les autres à se motiver eux-mêmes.

– Pour que leur envie d'un bon point vienne de... leurs tripes ?

– Oui. Il faut que les gens aient envie de bien faire et qu'ils agissent en conséquence.

– Et comment obtient-on cela ?

– De plusieurs façons. Après avoir distribué de nombreux bons points, il faut faire des commentaires comme « J'imagine que ça a dû vous faire plaisir de rendre ce projet plus tôt que prévu » ou « Vous devez être fier d'avoir fait du si bon boulot ! » Des remarques qu'ils n'oublient pas et qui renforcent leur fierté et leur sentiment d'avoir accompli quelque chose.

– J'ai compris, opina Wes. Donc, le bon point n'est pas un but en soi, mais seulement une étape vers un objectif plus ambitieux : pousser les équipes à vouloir éprouver la satisfaction des choses bien faites.

– Bingo !

– Génial. Mais dites-moi, Anne-Marie, qui vous a enseigné l'art d'être aussi positive ?

– Mon père. Il a fait toute sa carrière dans la Marine et m'a appris très tôt que c'était bien d'avoir du pouvoir, mais qu'il ne fallait pas l'utiliser. La seule manière de pousser les gens à faire ce qu'on attend d'eux, c'est de mettre en place au préalable une relation positive, fondée sur la confiance mutuelle. Soyez positif avec les hommes, et vous obtiendrez des résultats positifs. Excusez-moi, mais je dois commander un taxi pour l'aéroport, coupa-t-elle en regardant sa montre. Je donne une conférence à Chicago demain et j'ai promis de dîner ce soir avec les organisateurs.

– Laissez-moi vous y conduire.

Ravi de pouvoir passer un peu plus de temps avec Anne-Marie, Wes régla l'addition. Ils sortirent du salon de thé et se dirigèrent vers le hall de l'hôtel, où ils patientèrent quelques minutes, jusqu'à ce que le voiturier leur amène le véhicule de Wes.

– Je vois que vous semblez déterminé à mettre l'accent sur les comportements positifs de vos équipes, reprit Anne-Marie dès qu'ils furent en route pour l'aéroport. Mais j'aimerais aussi que vous pensiez à utiliser les bons points comme stratégie d'entreprise. Des sociétés dont les managers ont été conquis par cette méthode l'ont appliquée à grande échelle, et pu constater qu'elle était d'une efficacité redoutable.

– Comment ça ?

– Aujourd'hui, dans une entreprise, toute amélioration, qu'il s'agisse d'une mutation technologique, de la création d'un service ou d'un changement de stratégie, est immédiatement copiée par la concurrence. Donc en tant qu'entrepreneur, la seule marge de compétitivité dont vous disposez se trouve dans les relations humaines. Si vos équipes ont confiance en vous, vous respectent et croient en vos objectifs, elles voudront contenter vos clients. Quand cela se produit et si vous maîtrisez déjà les autres facteurs de production – comme la qualité, le prix, le marketing et la livraison –, vous devenez imbattable. Retenez bien ceci : la seule chose que vos concurrents ne pourront jamais vous voler est la relation que vous avez établie avec vos équipes et celle que vous entretenez avec vos clients.

– Ce matin, j'ai été frappé par l'une des idées que vous avez exposées : notre réaction renforce le comportement d'autrui. Je n'avais jamais perçu l'impact que je pouvais avoir sur les résultats de mes employés. Et encore moins que mon manque d'attention pouvait aussi en avoir un. Maintenant que je prends la mesure du pouvoir du bon point, je prévois d'en faire ma toute première priorité. En construisant des relations de confiance avec mes équipes et en les motivant.

– Mais n'oubliez pas que chaque individu possède sa propre source de motivation. Les dresseurs de Seaworld ont observé qu'en dehors de la nourriture, ce qui fonctionne avec un cétacé ne marche pas forcément avec un autre. Cela les a poussés à observer les orques assez attentivement pour déterminer ce qu'aimait ou non chacun d'entre eux. La stratégie du bon point est un bon début, mais après un certain temps elle peut faire chou blanc. Seule une connaissance détaillée des aspirations de chacun renforcera votre pouvoir de motivation.

– Observer les gens, c'est la meilleure façon de découvrir ce qui les motive ?

– C'en est une. Ainsi que je l'ai dit, l'un des grands avantages que nous avons avec les hommes, c'est qu'il est possible de leur parler.

– En d'autres mots, je devrais demander à mes équipes de m'éclairer sur la question ?

– Oui. Dites-leur, par exemple : « Je sais que vous avez fait un travail remarquable sur ce problème d'inventaire. Comment aimeriez-vous que je récompense vos efforts, à court terme comme à long terme ? »

– Qu'entendez-vous par court et long termes ?

– Le court terme, c'est ce qui motivera chacun au quotidien. Le long terme, c'est la reconnaissance appropriée, obtenue pour un résultat précis, au cours d'une période précise – un mois, un trimestre, un an, etc. Mais dans les deux cas, ce dont vous devez vous souvenir, c'est que vous ne savez pas, *a priori*, ce qui motive quelqu'un.

– Donnez-moi un exemple.

– Imaginez que vous soyez content des résultats d'un salarié et que vous lui disiez : « Pour te récompenser du bon boulot que tu as effectué dans les relations avec la clientèle, je vais te confier plus de responsabilités. » Or, il se trouve qu'un proche de cette personne a de graves problèmes de santé et qu'il a vraiment besoin d'argent... À l'inverse, vous pouvez aussi annoncer à quelqu'un qui mérite un gros bon point : « Je suis si content de ton travail que je viens de négocier une jolie augmentation pour toi. » Et il se trouve que, dans ce cas précis, l'intéressé n'a pas de besoins financiers pressants. Il répondra : « En fait, ce dont j'ai vraiment envie, c'est d'avoir plus de responsabilités dans cette maison. » Or vous avez donné une augmentation à quelqu'un qui voulait plus de responsabilités et plus de responsabilités à quelqu'un ayant besoin d'une augmentation. La règle est donc de...

Ne jamais prétendre
savoir ce qui motive autrui

– D'autant plus qu'il est facile de remédier à cet écueil : il suffit de poser la question à l'intéressé, précisa Anne-Marie. Ça ne mange pas de pain, et vous ne trouverez pas plus efficace.

Tous deux restèrent silencieux quelques instants, en roulant sur l'autoroute.

– Corrigez-moi si je me trompe, reprit Wes, mais j'ai l'impression qu'il ne faut pas appliquer systématiquement la tactique du bon point. Si je passe mon temps à dire : « Oh, génial, John, bravo, continue dans ce sens-là, etc. », ma sincérité peut être mise en doute.

– Absolument. Ce sont les orques qui ont fait comprendre ça à Dave. Il s'est rendu compte que l'animal sait quand vous le flattez de manière intéressée. Il est impossible de leurrer un épaulard. La supercherie, ils la sentent au bout de vos doigts pendant que vous leur administrez une caresse. Et s'ils flairent de l'hypocrisie, ils n'auront pas envie de travailler avec vous. Ils iront nager ailleurs.

– Dans mon entreprise, le manque de sincérité s'appelle : « Dresser un écran de fumée » ou « Cirer les pompes ». Les gens font toujours la différence entre un véritable éloge et un commentaire bidon destiné à la galerie. Ça les rend soupçonneux, et eux aussi se dépêchent d'aller voir ailleurs.

– De nombreux managers qui agissent ainsi poussent à la médiocrité dans leurs propres rangs. La seule fois où ils accordent de l'attention à l'autre, c'est quand il ne fournit pas les résultats espérés. Alors évidemment, quand ils se mettent à faire un compliment, donner une récompense ou un encouragement, ça sonne faux. Les équipes concernées se demandent ce qu'ils cherchent et les soupçonnent de vouloir les manipuler d'une façon ou d'une autre.

– Franchement, voilà ce qui m'inquiète, confia Wes. Avec mes employés, j'ai tellement toujours été dans le camp des « Je t'ai eu »... Que va-t-il arriver si je passe de l'autre côté de la barrière pour commencer à souligner les résultats positifs, ou si je troque mes commentaires négatifs contre du ré-acheminement de l'effort ? Ne vont-ils pas immédiatement trouver ça louche ?

– Voici ce que j'en pense, annonça Anne-Marie.

Les bons points n'ont de sens que si vous êtes sincère et honnête.

– Si vous pensez que vos troupes vous soupçonnent de mentir quand vous êtes positif, prenez le temps de leur démontrer le contraire. Anticipez leurs réactions et soyez honnête avec elles. Reconnaissez avoir été trop négatif jusqu'à présent et annoncez que vous avez l'intention de changer. Communiquez-leur votre enthousiasme pour la méthode des bons points et demandez-leur de vous soutenir dans cette démarche.

Anne-Marie et Wes venaient juste d'atteindre le bon terminal et s'engageaient sur la rampe des départs, quand elle lui offrit son dernier conseil.

– De nombreuses études ont montré que la méthode « Je t'ai eu » ne donnait pas les résultats voulus, ni en termes de productivité, ni en terme de satisfaction des employés. J'adorerais qu'un grand nombre de managers utilisent la stratégie des bons points de façon délibérée et systématique. N'ayez pas peur d'impliquer vos équipes. N'oubliez pas de toujours garder l'œil ouvert, en quête d'un élément positif. Rendez-vous compte de vos propres progrès. Et faites preuve d'un peu de patience. Quand ça vaut le coup d'insister, il faut persévérer.

– Souhaitez-moi bonne chance, demanda Wes, en guise d'adieu, en s'arrêtant devant l'entrée du terminal.

– Vous vous en sortirez très bien, assura Anne-Marie en lui serrant la main avec chaleur.

Elle fouilla dans sa serviette, en extirpa quelques feuilles de papier et les lui tendit.

– Nous parlions de la sincérité et de son importance dans les rapports humains. Il n'empêche qu'il n'est pas toujours facile de savoir quoi dire. Voici quelques exemples qui pourraient vous aider, au départ. Et restons en contact, conclut-elle en lui tendant sa carte de visite. Tenez-moi au courant des suites de votre démarche.

Wes eut vraiment l'impression qu'elle pensait ce qu'elle disait, et qu'elle était en train de lui offrir un soutien actif et durable. Il baissa les yeux sur les feuilles qu'il avait en main.

Applications diverses du bon point

 **Au travail**

À un cadre supérieur

Quand vous avez pris la parole, lors de la réunion, c'était vraiment bien. Votre introduction a su immédiatement capter l'attention de tout le monde et j'ai vu les yeux de Mme A. pétiller lorsque vous avez donné des précisions sur X et Y. En très peu de temps, vous avez réussi à gagner la confiance de ce client. Ça a redoré le blason de l'entreprise ! Merci. Et continuez comme ça.

À une équipe

Cette équipe bat tous les records. J'ai rarement vu des hommes collaborer en si bonne intelligence tout en assumant leurs responsabilités. Depuis que je travaille avec vous, je n'ai plus l'impression de faire un boulot de chef, mais de pouvoir vraiment me concentrer sur la coordination. C'est beaucoup plus intéressant. Continuons tous de travailler aussi bien en équipe.

À un employé

Les catégories que vous avez imaginées pour classer les chiffres de votre rapport m'ont beaucoup plu. Les résultats sont franchement plus lisibles. À partir de maintenant, je vais veiller à ce que tout le monde utilise votre méthode. Et si jamais j'ai besoin d'autres bonnes idées, je saurai vers qui me tourner.

En famille

À un adolescent

En rentrant, ça m'a vraiment fait plaisir de voir que tu avais nettoyé le garage. Je pensais que j'allais devoir y passer la journée de samedi, et non, c'est déjà fait ! Je vais pouvoir me détendre et faire autre chose. C'est un vrai souci en moins, Steve. Je te remercie vraiment.

À une fille de onze ans

J'ai beaucoup aimé les bonnes conversations qu'on a eues pendant que je te conduisais à l'école et au sport. C'est rigolo de savoir ce qui se passe entre tes copains et toi. Merci. J'espère que nous continuerons d'être aussi complices quand tu seras plus grande.

À un enfant de six ans

Tu t'es levé dès que je t'ai appelé ce matin ! Tu n'imagines pas à quel point ça me fait gagner du temps, au moment où tout le monde s'agite dans la maison pour se préparer. Merci beaucoup !

À un petit en maternelle

Tu as lacé toi-même tes chaussures et tu as ramassé tes vêtements tout seul. C'est formidable ! Continue comme ça. Je suis fier de toi.

Exemples
de ré-acheminement des efforts

✈ Au travail

– Bill, puisque notre dernier système comptable te donne du fil à retordre, j'ai demandé à Betty de te donner un coup de main. (Quelque temps plus tard…) Bravo, Bill. Le rapport que tu m'as remis montre que tu maîtrises à fond le nouveau système. Si tu as des questions, fais-le-moi savoir.

– Nous tenons à ce que chacun des talents de la maison soit mis à profit sur ce projet, Alison. C'est la raison pour laquelle je vous transfère dans l'équipe de George : vos compétences y feront merveille. (Quelque temps plus tard…) Félicitations, Alison. Je savais que vous étiez la femme qu'il fallait dans cette équipe. J'ai eu des retours excellents sur votre travail.

➤ En famille

(Le petit dernier n'a pas nourri le chien et le chat comme il le fallait.)

– Dorénavant, je change tes attributions : tu ne donneras plus à manger au chien, mais tu seras responsable de l'aspirateur. Je sais que tu aimes bien cela et il faut bien que quelqu'un le fasse. (Plus tard…) La maison est si propre depuis que c'est toi qui passes l'aspirateur !

(Les enfants se chamaillent devant la télévision.)

– Nous devons établir un roulement pour que tout le monde puisse regarder la télévision en paix. (Plus tard) Je suis très fier de la façon dont vous avez respecté la nouvelle organisation télé, vous deux. Vous avez vraiment observé les règles qu'on avait fixées ensemble l'autre jour.

Wes Kingsley fourra les fiches d'Anne-Marie dans sa serviette, au côté des notes prises pendant la conférence. Sa rencontre avec Dave Yardley et Anne-Marie Butler était peut-être une coïncidence. Mais ce qui n'en était pas une, c'était l'assurance toute neuve qu'il sentait grandir en lui. Peut-être, après tout, possédait-il toutes les compétences requises pour être un bon manager.

Chapitre 4

Wes eut une occasion inattendue de donner un bon point le jour même de son retour au bureau. Il avait passé la matinée à revoir en détail tout ce qui s'était passé dans l'entreprise pendant son séjour en Floride et s'était attaché à déceler les aspects positifs de ces informations. C'est dans l'après-midi, avec Merideth Smalley, le chef des équipes comptables, qu'il appliqua pour la première fois « la » méthode.

Cela faisait déjà près d'un an que Wes et Merideth s'évitaient soigneusement : depuis le jour où Merideth avait eu l'impression que Wes avait tenu son équipe pour responsable d'un retard sur une échéance de production. Leur relation, tendue, s'était encore durcie quand Wes, qui jouait dans l'équipe de softball dont Merideth était capitaine le jour du pique-nique annuel de l'entreprise, avait fait une erreur de tir fatale au score de l'équipe. Merideth n'avait oublié aucun des deux incidents : elle avait un esprit bien trop tourné vers la compétition pour faire une croix sur ce type d'humiliation.

En empruntant le couloir, Wes vit Merideth venir dans sa direction. Elle le remarqua et pressa le pas instinctivement, mais il interrompit sa course.

– Excusez-moi, Merideth, j'aimerais prendre quelques minutes de votre temps.

– Je n'ai guère qu'une seconde, murmura-t-elle en regardant ostensiblement sa montre.

– Je suis très impressionné par la façon dont vous vous êtes chargée des négociations avec nos fournisseurs, commença Wes en prenant délibérément une attitude conciliante.

Sa voix était détendue et amicale.

– Vraiment ? répondit Merideth d'un ton soupçonneux. Le regard fixé sur le sol, elle évitait volontairement le sien.

– Je me suis beaucoup bagarré avec un certain nombre d'entre eux, à propos de leur retard sur les commandes, poursuivit-il comme si de rien n'était. Et franchement, ça n'a pas servi à grand-chose. Vous, en revanche, vous avez réussi à débloquer la situation. La preuve : je viens juste de recevoir une commande en provenance de chez Lukas Packing. Et pour la première fois dans l'histoire de notre collaboration avec cette maison, elle est arrivée en temps et en heure ! J'étais si surpris que j'en ai décroché mon téléphone pour dire au fournisseur à quel point ça me faisait plaisir. Et devinez à qui il a répondu que je devais adresser mes remerciements ?

Le visage de Merideth se fendit d'un sourire qu'elle ne parvint pas à dissimuler. Il était évident qu'elle n'avait pas l'habitude de recevoir des compliments. Mais les faits parlaient d'eux-mêmes, et la sincérité de Wes était tangible.

– C'est John que vous avez eu ? demanda-t-elle d'un ton enthousiaste. C'est lui, l'empêcheur de tourner en rond. En fait, j'ai fini par trouver le langage qu'il voulait entendre. Je lui ai dit : « Écoutez, nous prouvons notre reconnaissance en passant plus de commandes aux fournisseurs qui nous livrent à temps, de façon régulière. Ça ne vous intéresse pas ? » Il ne savait que répondre...

Curieusement, Merideth s'était mise à parler comme si elle avait toute la journée devant elle.

– Laissez-moi vous proposer quelque chose, l'interrompit Wes. June et Edmundo ont eux aussi des problèmes avec ce fournisseur. Ils auraient bien besoin qu'on leur montre comment l'amadouer. Seriez-vous d'accord pour travailler sur ce point avec eux ? Vous pourriez leur en apprendre beaucoup.

– Bien sûr, sourit-elle. Sans problème.

De retour dans son bureau, Wes analysa l'échange qu'il venait d'avoir. Que s'était-il vraiment passé pendant ces quelques minutes ? Tout s'était déroulé tellement vite qu'il ne voulait pas en tirer trop de conclusions hâtives. Il y avait vraiment eu un changement dans le comporte-

87

ment de Merideth et sa volonté d'accéder à sa requête. Avait-elle été sincère ? Il éprouvait soudain une impression de soulagement, mais ne savait pas s'il fallait s'y fier. Tout semblait trop facile. *D'accord,* pensa-t-il. *Ça c'est plutôt pas mal passé. Mais je garde des réserves sur notre réunion de demain.*

Wes avait en effet organisé une réunion regroupant les six personnes les plus importantes de son staff. Au programme : d'abord les affaires courantes. Mais quand il pensait à ce qu'il avait l'intention d'annoncer ensuite, il n'était pas très à l'aise.

Le lendemain matin, à l'heure de la réunion, Wes était encore dans son bureau. Il avait relu, un nombre incalculable de fois, les notes prises lors de la conférence d'Anne-Marie Butler et de sa visite à Sea World. Comment diable allaient réagir ses managers quand il leur parlerait de ce qu'il avait appris ? Il se souvenait tout particulièrement de ce qu'Anne-Marie lui avait dit sur le chemin de l'aéroport : « Anticipez les réactions de votre équipe et soyez honnête avec elle. Admettez que vous avez été trop négatif et annoncez que vous allez changer. Exposez-lui la méthode des bons points et sollicitez son soutien. »

Il ne reste plus qu'à espérer que ça marche, pensa Wes en refermant son calepin. *Et si c'est le cas, c'est à toi que je le devrai, Shamu.*

Quand il se décida à entrer dans la salle de réunion, ses collaborateurs se turent immédiatement et observèrent le même silence jusqu'à ce qu'il soit assis. Ce cérémonial, cette distance qui le séparait de ses employés était un état de fait que Wes regrettait. Mais c'était ainsi depuis qu'il avait été promu, soufflant ainsi la place promise à Harvey Meehan. Comme toujours, les yeux d'Harvey évitaient les siens. Wes commença la réunion et fit rapidement le tour de l'ordre du jour. Puis il s'interrompit et jeta un coup d'œil circulaire à ses interlocuteurs. Il s'éclaircit la voix et, d'un coup, se lança.

– J'ai quelque chose de difficile à vous dire, commença-t-il. Je ne vous ai pas facilité la tâche. Je n'ai jamais manqué de pointer la moindre de vos erreurs, importante ou non, et j'ai toujours pris vos bons résultats pour des acquis. Quand votre travail a été excellent, je ne vous en ai jamais remercié. Je ne vous ai jamais montré à quel point j'appréciais vos efforts. Tout ça va changer. Lors de mon dernier voyage, quelque chose m'est arrivé qui, je le souhaite, va modifier mon rapport à votre travail.

Sur ce, Wes se mit à raconter au groupe son voyage à Sea World, sa rencontre avec Dave Yardley, et sa conversation avec Anne-Marie Butler. Plus il parlait, plus l'attention de ses interlocuteurs s'aiguisait. Tout avait l'air de se dérouler à merveille, jusqu'à ce que, à environ la moitié de son discours, Harvey Meehan se penche vers Gus Sulermo et lève les yeux au ciel. La signification de son attitude était claire. Depuis sa promotion, Harvey avait tout fait pour lui être désagréable. Tout le monde avait remarqué la mimique d'Harvey. Mais ce sarcasme n'empêcha pas Wes de poursuivre.

– J'ai fini par comprendre à quel point il était important de prendre conscience du travail des autres et combien il était capital, pour leur motivation, de prendre acte de leurs résultats. Je pense que vous serez tous d'accord pour dire que j'ai été, jusqu'à présent, un manager très porté sur le « Je t'ai eu », confessa-t-il. Désormais, je veux être un manager qui distribue des bons points. Le problème, c'est que cela exige de moi un changement radical d'attitude à votre égard à tous. Je me rends bien compte que, sans aide, ma tentative échouera lamentablement. J'ai donc décidé de vous demander votre soutien.

Il y eut un long silence. Ses six collaborateurs se jetaient des regards incertains.

– Je vais vous dire ce que j'en pense, et pas plus tard que tout de suite, annonça soudain Merideth.

Étant donné ses rapports avec Wes, tout le monde s'attendit à ce qu'elle formule une critique des plus acerbes. Wes se raidit en prévision du pire.

– Ainsi que vous le savez tous, commença-t-elle, M. Kingsley et moi n'avons pas été les meilleurs amis du monde ces derniers temps. Chaque fois que j'en ai eu l'occasion, je l'ai évité. Mais hier, il m'a arrêtée dans le couloir et a insisté pour me parler. Au début, j'étais très hésitante, je m'attendais à ce qu'il trouve quelque chose à redire à mon travail. Mais au lieu de ça, Wes avait tout simplement décidé de prendre le temps de me complimenter sur mon boulot. J'ai tout de suite su qu'il était sincère, parce qu'il connaissait le dossier à fond et qu'il était même allé jusqu'à prendre l'avis d'un de nos fournisseurs. Celui-ci lui avait fait un retour favorable. Ça m'a fait plaisir. Nous donnons tous notre maximum pour cette boîte, poursuivit-elle en se tournant vers Wes. Et nous ne le faisons pas seulement pour obtenir de la reconnaissance. Mais je dois admettre que voir nos efforts appréciés à leur juste valeur, c'est important. Vos paroles d'hier m'ont donné envie de m'impliquer encore plus dans mon travail. Maintenant que je réalise que vous avez l'intention de vous intéresser de plus près à chacun d'entre nous, je vous annonce que vous pouvez compter sur mon soutien.

Wes jeta un regard vers les autres. Harvey continuait de ricaner silencieusement avec Gus, multipliant les mimiques significatives, et il était visible que la majorité des autres participants n'était pas franchement convaincue.

– Merci, Merideth, dit-il. Je vais vous donner à tous un moyen de m'aider au cours de ce processus de changement. Je veux que chacun d'entre vous me dise comment il souhaite que je reconnaisse sa valeur et que je marque le coup quand il obtient un bon résultat. J'ai besoin de connaître la récompense qui aurait le plus de valeur et de sens pour chacun d'entre vous.

– D'accord, je me lance, avança Chuck Wilkins après les quelques minutes de silence stupéfait qui suivirent la dernière déclaration de Wes. Quand ma mère était en train de mourir du cancer, les gens du centre médical ont été tellement fabuleux qu'ils m'ont donné envie de leur consacrer un peu de mon temps. Mes enfants ont de nombreuses activités sportives et le week-end, quand il faut les accompagner à gauche et à droite, je suis débordé. Si je pouvais passer une heure ou deux, de façon occasionnelle, au centre médical quand le boulot est à jour…

– Ça me paraît tout à fait envisageable, Chuck, répondit Wes. Merci de me le signaler.

Deux autres personnes firent part de leurs idées, mais ce fut tout. La moitié de ses collègues ne se départit pas de son flegme initial. Alors que la réunion tirait à sa fin, Wes avait bien réalisé que tout le monde ne le prenait pas au sérieux.

– Je ne doute pas que certains d'entre vous accueillent mon discours avec de nombreuses réserves, conclut-il. Vu mon comportement passé, je ne peux leur en tenir rigueur. Je propose que les plus soupçonneux deviennent mes parrains. Chaque fois que vous me surprendrez à retomber dans mes vieilles habitudes de « Je t'ai eu » et à ne penser qu'au négatif, je vous demanderai de venir me le dire franchement.

La pièce se vida dans le plus profond silence. Mais Wes se doutait bien que les discussions ne tarderaient pas à battre leur plein autour de la machine à café et dans le parking. Dès qu'il eut réintégré son bureau, il sortit la carte d'Anne-Marie Butler de son portefeuille et composa son numéro. À sa grande surprise, elle décrocha tout de suite.

– Anne-Marie ? Bonjour ! Je suis si content que vous soyez là ! Wes Kingsley à l'appareil. Comment allez-vous ?

– Wes ! C'est vraiment sympa d'appeler, répondit Anne-Marie sur le ton énergique qui la caractérisait. Quoi de neuf ?

Wes lui raconta tous les détails de son échange avec Merideth et de la réunion dont il sortait.

– Tout le monde a eu l'air de vraiment écouter, résuma-t-il, mais je pense que la plupart des gens sont restés sur le qui-vive.

– C'est bien, Wes, le rassura Anne-Marie. C'est un bon début.

– Merci. Vous savez, moi aussi, je suis encore un peu sceptique et j'ai besoin de vos encouragements. Au fait, je voudrais vous commander une boîte de ces petites orques que vous avez fait distribuer pendant la conférence, l'autre jour. J'aimerais pouvoir en donner dans l'entreprise et à mes enfants.

– D'accord, Wes, c'est un plaisir de vous voir si motivé, répondit Anne-Marie après avoir noté son adresse. N'hésitez pas à me passer un coup de fil de temps en temps pour me tenir au courant de vos progrès. Et amusez-vous bien à la chasse aux bons résultats.

Dès son retour de Floride, Wes avait tenté de partager avec Joy, sa femme, ce qu'il avait appris de Dave Yardley et d'Anne-Marie Butler.

Malheureusement, elle n'était pas prête à l'écouter. Au fil des derniers mois, leur relation s'était sérieusement tendue et Wes réalisait que, depuis longtemps déjà, Joy ne s'attachait plus qu'à signaler les points négatifs de leur couple. Elle semblait même mettre ses erreurs à lui en avant avec un accent certain de triomphe. Chaque fois qu'il rentrait tard, elle en profitait pour déverser sa bile. Ce n'était pas très drôle. Vu le manque d'ouverture de son épouse, Wes avait donc décidé de commencer par appliquer la stratégie des bons points au bureau.

Pourtant, un soir en rentrant, il eut l'occasion inattendue d'aborder la question *in situ*. En poussant la porte, il entendit Joy mener une discussion houleuse avec Allie, leur fille de quatorze ans.

– Je n'en peux plus ! hurlait Joy. C'est tous les soirs la même chose ! Chaque fois que je rentre du boulot, épuisée, cette cuisine est une bauge. Vous ne rangez jamais rien après avoir goûté, tes copines et toi. Si ça doit se produire une fois de plus, si je suis encore obligée de faire le ménage avant de pouvoir préparer le dîner, je te promets que tu iras au lit sans manger. Et tant pis si tu as faim !

Allie s'enfuit à l'étage, drapée dans une dignité blessée. Quand Joy finit par poser les yeux sur Wes, elle était encore trop en colère contre Allie pour s'en prendre à lui. Bien au contraire, elle s'approcha de son mari et se mit à pleurer. Wes la prit dans ses bras et l'y serra jusqu'à ce qu'elle se calme.

– Je sais que ça n'a pas été facile pour toi dernièrement à la maison, chuchota-t-il. Allie a été dure avec moi aussi. Les filles n'arrêtent pas de se chamailler et dès que nous nous retrouvons tous les deux, on se porte sur les nerfs. Je crois qu'il est temps de s'offrir un long week-end, d'aller en Floride.

– En Floride ? Et pour quoi faire ?

– Pour rendre une petite visite de courtoisie à quelques orques, sourit Wes.

Quelques semaines plus tard, Wes et sa famille embarquaient à bord d'un avion en partance pour Orlando. Depuis sa dernière prise de bec avec sa mère, l'humeur d'Allie était restée sombre. Pendant que Meg, sa petite sœur, jouait et bavardait sur le siège à côté d'elle, Allie restait de marbre, les yeux rivés sur le hublot.

– Ces vacances vont être nulles, finit-elle par laisser tomber. Maman ne me laissera jamais faire quoi que ce soit d'amusant.

– Papa dit que le spectacle des orques est vraiment génial, lui opposa Meg pour lui remonter le moral.

– Et alors, marmotta Allie, les yeux au ciel. Des aquariums, j'en ai déjà vu. Tout ce voyage est bidon.

En dépit des *a priori* négatifs d'Allie, toute la famille s'extasia devant la performance des épaulards. Avant le début du spectacle, Allie, faisant grise mine, s'était assise sur les gradins avec une indifférence marquée ; mais dès que les orques attaquèrent le programme, son attitude se modifia. À la fin du spectacle, elle admit même que ça avait été « très cool ».

Avant de quitter les lieux, Wes emmena Joy et les filles en coulisses, grâce au laissez-passer que Dave Yardley avait déposé pour eux à l'entrée. Dès qu'ils se retrouvèrent, Dave et Wes se serrèrent la main avec chaleur. Après avoir été présenté à toute la famille, le dresseur les conduisit vers une piscine d'entraînement. Une jeune femme au visage avenant, vêtue d'une combinaison de plongée noire, était agenouillée au bord du bassin et caressait le dos de l'une des orques.

– Voici Pam Driscoll, annonça Dave.

Pam leva la main, et l'énorme animal effectua immédiatement une lente rotation pour qu'elle puisse lui caresser le ventre.

– Génial ! s'exclama Allie. Je fais ça avec le chien à la maison. Elle est à vous, cette orque ?

– Pas vraiment, répondit Pam, mais c'est mon amie. On adore se faire des papouilles.

– Comment faites-vous pour qu'elle vous obéisse ? demanda Joy. J'ai du mal à croire que les menaces ou les punitions l'intimident beaucoup.

97

– Vous avez raison, assura Dave. Les épaulards sont de taille à affronter tous les dangers de l'Océan. C'est une information que nous sommes obligés de répéter souvent lors des colloques entre dresseurs. Si ceux-ci ont été formés à travailler avec des chiens, ils ont trop tendance à vouloir gronder les animaux quand ils font une bêtise. Ils utilisent des colliers étrangleurs et ont parfois la main lourde. Quand ils me parlent de leur méthode, je leur demande : et si votre chien pensait cinq tonnes cinq, comme Shamu, mon orque, vous le traiteriez comment ? Vous lui donneriez des tapes et vous lui enfileriez un collier étrangleur ? À d'autres !

– C'est sûr, renchérit Allie.

– Si vous ne construisez pas une relation amicale avec les orques et si vous les traitez de façon négative, poursuivit-il, elles vous feront tout de suite comprendre que vous vous y prenez mal.

– Et comment faut-il s'y prendre, alors ? glissa Joy.

– Plutôt que de nous attarder sur leurs erreurs, nous nous concentrons sur leurs succès. Nous essayons toujours de les pousser à réussir, pour multiplier les occasions de les féliciter.

– Ça ne me déplairait pas que maman et papa appliquent la même méthode, au lieu de nous tomber dessus à la moindre peccadille, plaça adroitement Allie.

98

Le premier mouvement de Wes, gêné par la remarque de sa fille, fut de la tancer vertement. Il se reprit juste à temps.

– Je me demandais si vous auriez une minute pour nous faire une petite démonstration de vos techniques de dressage, dit-il à Dave.

Celui-ci accepta sans se faire prier. Supposant, à juste titre, que Meg et Allie préféraient se promener dans l'aquarium, Pam proposa de les y piloter.

En allant vers le bureau de Dave, Wes lui raconta sa rencontre avec Anne-Marie Butler et lui fit part de certains des changements qu'ils tentaient de mettre en place dans ses relations de travail.

– Mais l'objectif de ce voyage-ci, lança-t-il tout en marchant, est de pouvoir glaner quelques idées pour nous permettre, à Joy et à moi, d'améliorer nos relations avec les enfants. Maintenant qu'Allie est une adolescente, nous avons besoin de toute l'aide que nous pourrons trouver.

– Voici la salle où nous tenons les séminaires et les sessions d'information de nos visiteurs et de nos employés, annonça Dave pendant qu'ils entraient dans une grande pièce.

– Ce n'est pas que je veuille changer de sujet, Dave, coupa Joy en s'installant dans l'une des chaises les plus confortables de la salle de réunion, mais quand Wes dit « nous », il exagère. On ne peut pas dire qu'il soit partie prenante dans les problèmes éducatifs de nos enfants.

– Pourquoi ça ?

– Parce qu'il n'est jamais à la maison ! Nous travaillons tous les deux, mais il rentre très souvent tard du bureau. Moi, j'enseigne à mi-temps, et je suis généralement de retour à l'heure où les enfants reviennent de l'école. 99 % de la responsabilité de l'éducation des enfants me retombe donc dessus. C'est moi qui dois gérer tout l'entretien de la maison, l'organisation des devoirs des filles et arbitrer leurs disputes.

Wes était très gêné. Il ne s'était nullement attendu à ce que Joy décrive aussi platement leur intimité à Dave.

– Il n'est pas question que je m'immisce dans votre vie domestique, intervint immédiatement ce dernier, réalisant l'embarras de son ami. Mais il semble clair que vous trouvez que Wes n'est pas assez souvent à la maison.

– C'est le moins qu'on puisse dire !

– Puis-je vous poser une question ? Que faites-vous quand il finit par rentrer ?

– Que voulez-vous dire ?

– Saisissez-vous, par hasard, la moindre occasion de lui reprocher de n'être pas rentré plus tôt ?

– Ça aussi, c'est le moins qu'on puisse dire, renchérit Wes en prenant la parole pour assurer sa propre défense.

– OK, résuma Dave. Étudions ce problème du point de vue d'un dresseur d'épaulards. Nous avons déjà établi que les louanges fonctionnent mieux que les reproches pour obtenir des animaux ce que nous attendons d'eux.

– Êtes-vous en train de suggérer, coupa Joy avec indignation, que je fasse des compliments et autres gracieusetés à Wes quand il daigne rentrer ?

– Nos succès avec les orques sont obtenus pas à pas, expliqua Dave. Nous ne pouvons pas nous permettre d'attendre qu'ils aient intégré la totalité du processus avant de leur donner leurs premières récompenses.

– « N'oubliez jamais de louer chaque progrès. C'est déjà un pas vers la réalisation des objectifs », intervint Wes, en se souvenant des notes prises sur son calepin. Désolée d'avoir à te dire ça, ajouta-t-il en se tournant vers Joy, mais à chaque fois que je quitte le bureau pour la maison, c'est un peu comme si j'abandonnais la forge pour aller au moulin. Si tu agissais plus souvent comme Dave le suggère, j'aurais plus envie de faire l'effort de quitter le bureau tôt et d'avoir le plaisir de rentrer.

– Vraiment ? répondit Joy d'un ton songeur.

– Votre attitude n'a rien d'extraordinaire, Joy, conclut Dave pour la rassurer. Les commentaires du style « Je t'ai eu » viennent plus spontanément que les bons points. C'est une loi générale.

Pendant ce temps, Pam avait montré les animaux à Allie et à Meg et leur avait parlé de la méthode des bons points, principe fondateur de leur dressage. Après avoir fini la visite par une rencontre avec les dauphins qui sautaient et jouaient dans leur bassin, les filles se disposaient à rejoindre leurs parents.

– Alors, qu'avez-vous appris aujourd'hui ? leur demanda Pam pendant que le petit groupe se dirigeait vers le bureau.

– Il faut toujours être gentille avec les animaux, récita Meg, et surtout quand ils ont été sages.

– Super. Et qu'est-ce qu'on fait quand ils ne sont pas si sages que ça ?

– Vous avez dit qu'il ne fallait pas s'en occuper, répondit Allie, visiblement désemparée.

– C'est ça, assura Pam. Si vous leur accordez trop attention quand ils sont vilains, ils continueront de faire des bêtises, ne serait-ce que parce qu'ils aiment se faire remarquer.

– Mais c'est si difficile, s'exclama Allie ! Supposez que Meg vienne dans ma chambre et commence à faire n'importe quoi avec mon ordinateur. Que faut-il que je fasse ? Que je regarde ailleurs ?

– Non, personne ne te demande ça, sourit Pam. Mais ça n'a pas de sens que tu te mettes en colère non plus. Vous devriez plutôt prendre le temps d'établir une sorte de règlement sur l'usage de l'ordinateur. Ça ne te dérange pas si Meg l'utilise ?

– Euh, non, hésita Allie. Mais seulement quand je ne suis pas là. Et jamais quand je planche sur un devoir important.

– Entendu. Eh bien, il vous suffit de vous mettre d'accord. Disons que Meg a le droit d'utiliser ton ordinateur seulement de temps en temps et jamais quand tu en as besoin. Maintenant, je vais vous dire un secret. C'est une formule magique que nous utilisons pour entraîner Shamu et les autres orques. Nous nous focalisons sur ce qu'elles réussissent et nous les récompensons pour leurs succès. Par exemple, Allie, tu pourrais attendre de voir si Meg respecte votre accord, et si elle le fait tu lui donnes un bon point. Tu peux lui dire : ça me fait plaisir que tu respectes le petit règlement que nous avons mis au point, toutes les deux. Alors, pour te remercier, je ferai la vaisselle à ta place ce soir.

– D'accord, je sais qu'il faut être généreuse et tout ça, répliqua Allie, les sourcils froncés. Mais ça va servir à quoi ?

– Oh ! je peux répondre ? demanda Meg, la main levée comme si elle était à l'école. Ça sert à me donner envie de continuer à respecter le règlement.

– Effectivement, ça peut marcher, répondit Allie d'un air pensif.

– Moi aussi, je peux me concentrer sur ce qui est positif, intervint Meg. Mon amie Sissie Lawrence m'a beaucoup snobée dernièrement. Maintenant, je pense que je sais comment faire pour qu'elle revienne jouer avec moi.

– Et comment ? demanda Pam sans dissimuler sa curiosité.

– Je vais l'observer, et quand elle fera quelque chose de bien, je lui sourirai et je la remercierai. Je finirai bien par trouver quelque chose de positif à célébrer.

– Parfois, Meg est vraiment maligne, déclara fièrement Allie en serrant sa petite sœur par l'épaule.

Entre-temps, dans la salle de réunion, entourée de Wes et de Dave, Joy était en proie à la plus grande perplexité. Elle ne s'était guère attendue à obtenir d'un dresseur d'orques d'aussi précieuses informations sur la façon d'améliorer sa relation avec son mari. Et encore moins de se voir suggérer de commencer par changer sa propre attitude, pour modifier son comportement à lui. L'idée qu'il lui revenait de faire les premiers pas ne lui plaisait pas beaucoup. Par ailleurs, elle était assez fine pour réaliser l'importance du message qui venait de lui être transmis.

– Donc, reprit-elle, le secret d'une bonne relation, qu'elle soit avec vos orques, mon mari ou mes enfants, c'est de mettre en valeur ses points positifs.

– Absolument, répliqua Dave. Il ne s'agit pas seulement d'être gentil, mais d'obtenir des résultats concrets. Ici, à SeaWorld, nous nous concentrons sur le positif parce que nous connaissons les avantages de cette attitude. Il y en a deux. D'abord elle suscite la motivation nécessaire pour engendrer le comportement voulu. Ensuite, elle permet de créer l'environnement de travail fondé sur le plaisir et la confiance dont nous avons besoin pour entraîner ces animaux. Les gens qui ont assisté au spectacle nous le disent : ils peuvent presque sentir l'énergie positive dans laquelle nous baignons. La réceptivité des épaulards et leur capacité d'écoute les bluffe. Ce qui est drôle, c'est qu'ils nous font souvent des compliments sur notre équipe, en nous félicitant d'être aussi coopératifs et enthousiastes, et malgré ça ils réalisent rarement que deux et deux font quatre. Ils pensent que la bonne humeur qui règne ici et notre « pêche » sont un pur hasard. Ils ne réalisent pas que les membres de l'équipe se comportent entre eux selon les principes utilisés pour le dressage des animaux. Les récompenses ne sont qu'une facette de la question. Ce qui compte vraiment, c'est la confiance. Si nous ne nous amusons pas – si les orques ne s'amusent pas et si nos équipes ne s'amusent pas –, le jeu n'en vaut pas la chandelle.

– Pendant que nous faisions les derniers préparatifs de voyage, reprit Joy, Wes m'a un peu parlé des bons points et de l'importance de l'attitude à adopter avec les gens après leurs actes. Il m'a dit aussi qu'au lieu de pointer les comportements indésirables, vous les ignoriez délibérément et que vous ré-acheminiez l'énergie des épaulards vers une tâche qu'ils vont pouvoir mener à bien. Ça me pose un petit problème. Je peux comprendre comment tout ça fonctionne avec des bestioles, mais j'ai du mal à imaginer ce que ça peut donner avec les gens.

– C'est normal, sourit Dave. C'est difficile à admettre. Pas parce que les gens sont si compliqués, mais parce que nous sommes habitués à ne dresser l'oreille qu'en cas d'alarme. Nos yeux ont l'habitude de traquer les comportements négatifs. Nous pensons que les erreurs méritent toute notre attention. Alors nous les guettons, et au moindre faux-pas, nous sautons sur l'occasion de faire une belle scène. Sans compter que les gens qui ont la réputation d'être difficile sont toujours observés comme le lait sur le feu. Les regards s'attachent à déceler chez leur cible le premier manquement à la règle. C'est le serpent qui se mord la queue.

– C'est vrai que j'ai beaucoup pratiqué cette méthode avec Allie dernièrement, confessa Joy. Et tout particulièrement quand j'étais épuisée.

– Quand vous êtes fatiguée, vous feriez bien de vous exercer au ré-acheminement. En fait, quand vous commencerez à appliquer notre système, la première étape consistera à abandonner les réactions négatives au profit du ré-acheminement. La réaction positive suit souvent de près, d'ailleurs. Vous observerez les efforts de vos filles et vous verrez vite comment mettre leurs progrès en valeur et souligner les points positifs de leurs actes. Après un certain temps, elles réaliseront que vous les traitez avec beaucoup plus d'équité et de gentillesse, tout en gardant le même niveau d'exigence. Dans la pratique, vous voyez, le fait d'ignorer les comportements négatifs implique seulement qu'il n'est pas nécessaire d'accorder aux erreurs des autres autant d'importance que d'habitude. Nous suggérons de ne pas en tenir compte car, en général, en cas d'erreur, nous déclenchons un véritable plan orsec, avec projecteur et alarme intégrés ! Nous ne ferions pas plus de raffut pour signaler l'évasion d'un prisonnier ! En travaillant avec les orques, nous avons dû changer notre fusil d'épaule. Désormais, notre règle d'or est de rester zen quand ils font une bêtise, mais de ne pas laisser tomber pour autant et de rediriger immédiatement leur énergie vers une autre action. Puis, dès qu'ils reprennent le droit chemin, nous leur donnons un bon point.

– C'est le contraire de ce que tout le monde a tendance à faire, non ? demanda Joy. Mais je vois en quoi cette technique mérite de s'y attarder. Faire les choses au bon moment est si important ! Pour rester à l'affût des actes positifs, il faut vraiment garder l'œil ouvert en permanence, surtout avec des enfants ! Vous n'auriez pas une astuce ou deux pour que les mamans puissent aussi utiliser cette méthode à bon escient ?

– Rien pour les mamans, mais plusieurs pour les papas. J'avais déjà travaillé de nombreuses années avec Shamu et un bon nombre d'orques avant la naissance de mes jumeaux. Avec l'arrivée de Nat et de Reid, ma femme Hélène et moi étions curieux de vérifier si les bons points servaient à quelque chose avec les enfants. D'abord, nous nous sommes contentés de regarder comment les autres parents se débrouillaient. D'une façon générale, ils relâchaient leur attention dès que tout allait bien. Dans le cas d'un bébé, l'arrêt des pleurs était synonyme de détente immédiate. Dans le cas de petits enfants, ils se permettaient de souffler quand ceux-ci étaient enfin sages. Avec des ados, c'était la pause quand il n'y avait ni problème ni dispute à l'horizon. Grosso modo, les parents intervenaient seulement lorsque le bébé se mettait à pleurer, que les petits commençaient à se battre ou que les ados rapportaient de mauvaises notes à la maison.

« Après les avoir bien observés, Hélène et moi avons décidé d'être plus partie prenante dans l'éducation de nos enfants. Quand les jumeaux étaient encore bébés, nous jouions avec eux quand ils étaient contents. Quand ils pleuraient, si nous étions certains qu'ils n'étaient ni mouillés, ni affamés, ni malades, on ne s'en préoccupait pas. Mais dès qu'ils se calmaient, nous les prenions dans nos bras pour leur faire un câlin. Quand ils se sont mis à marcher, nous sommes devenus encore plus vigilants. Si vous êtes attentifs, vous savez toujours quand les enfants s'ennuient ou s'ils sont agités. C'est le moment où ils sont prêts à se chamailler, à déclencher une dispute ou à faire une bêtise. Vous pouvez alors anticiper et rediriger leur énergie avant qu'ils ne deviennent insupportables : leur apporter quelque chose à grignoter, leur donner une vidéo à regarder ou les emmener faire un tour au parc. Ce que nous voulions, c'était qu'un moment agréable suive toujours un comportement positif. Au lieu d'attendre que surgisse un problème, nous captions leur attention pendant qu'ils étaient encore de bonne humeur, pour la rediriger vers un autre objet.

« Quand les garçons ont grandi, nous n'avons pas relâché notre attention, au contraire. Nous sommes devenus encore plus exigeants. Nous leur avons fixé des objectifs : pour les résultats scolaires, le partage des tâches à la maison, l'entretien de leur chambre et leur politesse, avec les adultes comme avec leurs amis. Nous ne les quittions pas des yeux et dès qu'ils étaient en bonne voie, nous les félicitions. On ne perdait pas trop de temps à s'appesantir sur leurs échecs. Nous leur rappelions les objectifs sur lesquels nous nous étions entendus en leur redemandant calmement de recommencer. Nos enfants ont grandi dans un environnement où ils ont appris que les bonnes choses surviennent quand ils agissent correctement, et qu'ils font ce qu'ils ont à faire.

« Parfois, nous écoutions le récit des expériences de nos amis. Ils faisaient souvent des comparaisons entre leurs enfants. Du type : Sally excelle vraiment dans tout, alors que Betsy est toujours à la traîne… Ah, si elle pouvait ressembler un peu plus à sa sœur… En observant la façon dont ils traitaient leurs filles, il ne fallait pas être devin pour réaliser ce qui se passait. Il y avait deux poids deux mesures : ces parents couvraient Sally de bons points, alors qu'ils observaient toujours Betsy à travers le prisme du "Je t'ai eu". Lorsque nous leur avons suggéré de s'attacher à mettre en valeur les actes positifs de Betsy, leur réponse fut immédiate : "Mais elle ne fait jamais rien qui mérite des félicitations !" Vous voyez, en réalité, ces parents étaient pris au piège de leurs propres *a priori*. Il leur aurait suffi d'ouvrir les yeux pour réaliser que Betsy faisait, elle aussi, des choses pas mal du tout. Si sa chambre était plus rangée un jour qu'elle ne l'avait été la veille, Betsy méritait un bon point. Il était impératif qu'ils notent et fassent remarquer chacun de ses progrès.

« Malheureusement, quand les enfants commencent sur de mauvaises bases, ils apprennent souvent que la seule façon d'obtenir un peu d'attention de leurs parents est de les provoquer. C'est aussi la seule façon pour eux de se démarquer de leur frère ou sœur. Les choses peuvent vite dégénérer si vous ne traitez pas tous vos enfants sur un pied d'égalité et que vous ne leur accordez pas des bons points à la même fréquence. Rediriger l'énergie et donner des bons points en guise d'encouragement, voilà comment transformer une mauvaise attitude en un comportement exemplaire. Effet bonus : reconnaître les mérites et l'attitude positive de chacun participe de façon active à la construction d'une famille heureuse.

– Ça vaut sûrement le coup d'essayer, commenta Joy.

– Les êtres humains sont naturellement en quête de l'approbation des autres, reprit Dave. Qu'il s'agisse de vos enfants ou de vos collègues, quand vous ne laissez jamais passer une occasion de remarquer leurs efforts ou leurs résultats, c'est comme si vous cultiviez ce qu'il y a de meilleur en eux. Après un certain temps, ils commencent à vraiment apprécier les attentions et le plaisir d'une atmosphère positive. Ils trouvent plus agréable de réussir, d'atteindre les objectifs voulus, de se dépasser et d'obtenir les félicitations qu'ils méritent.

– Maman, papa ! interrompit Allie en passant la porte au côté de Pam et Meg. Cet endroit est trop cool ! C'est super, de nous avoir amenées ici !

Après que toute la famille ait prodigué ses remerciements et dit au revoir à Dave et à Pam, les Wesley se dirigèrent vers la sortie, en longeant le bassin de Shamu. L'orque nagea dans leur direction.

– Au revoir, Shamu, souffla Meg en lui envoyant un baiser. Tu es le meilleur des professeurs !

Chapitre 5

Après leur retour de Floride, Wes et Joy décidèrent d'organiser une réunion de famille sans tarder. L'objectif était simple : remplacer leurs anciens principes d'éducation par la méthode des bons points. Ce soir-là, Joy fit bien attention de préparer pour le dîner les plats préférés de Meg et d'Allie. À la fin du repas, tous quatre se dirigèrent vers le salon où ils allaient prendre le dessert.

– Votre maman et moi sommes ravis que vous ayez pu nous accompagner à SeaWorld et que vous ayez eu l'occasion d'observer les dresseurs d'orques, commença Wes en entrant directement dans le vif du sujet. Pam vous a expliqué la méthode des bons points utilisée pendant les entraînements. Parmi tout ce qu'elle vous a dit, qu'est-ce qui vous a le plus marquées ?

– L'idée d'accorder plus d'attention aux orques quand ils réussissent quelque chose, au lieu de ne s'intéresser à eux que quand ils font une bêtise m'a bien plu, intervint Meg, les yeux brillants.

– Si vous vous concentrez sur les actions que vous voulez vraiment voir réaliser, ajouta Allie, il y a plus de chances pour qu'elles se produisent.

– C'est tout à fait ça, répondit Wes. Pensez-vous que ce soit une bonne idée d'essayer d'appliquer la stratégie des bons points ici, à la maison ? Votre mère et moi ne sommes pas très fiers de la façon dont les choses se sont passées dernièrement, ni dont nous vous avons traitées. Nous nous sommes beaucoup trop attardés sur vos maladresses. Et quand vous faisiez ce qu'on vous demandait, jamais on ne vous en a remercié.

– On est au courant, commenta Allie, sourcils froncés.

– D'accord, nous sommes coupables, intervint Joy. Et nous voulons faire mieux. Mais pour changer le cours des choses, nous devons d'abord passer un marché ou deux. Établissons des objectifs précis et chaque fois que vous en atteindrez un, nous pourrons vous donner un bon point.

– Je suis d'accord pour ranger ma chambre et la garder propre, proposa Meg. J'en ai assez d'en entendre parler tous les jours.

– Moi aussi, renchérit Allie. Et je rangerai aussi la cuisine après le goûter quand mes copines passeront.

– Ce serait formidable, déclara Joy. Alors il ne nous reste plus qu'à déterminer les récompenses que vous recevrez en guise de félicitations.

– J'ai une idée, lança Wes. Voilà : ceux qui aident à la préparation du repas et qui mettent la table n'auront pas à ranger après. Qui vote pour ?

– Moi ! J'adore ! sourit Joy.

– Mais, est-ce que ça veut dire que nous avons le droit de faire le dîner de temps en temps, Meg et moi ? s'inquiéta Allie.

– Bien sûr, et dans ce cas, votre mère et moi devrons débarrasser la table.

– Autre chose, intervint Joy. Le samedi matin est le moment de la semaine que je redoute le plus. Pendant sept jours, toute la maison part à vau-l'eau, et il faut nettoyer à fond. En général, je m'en occupe toute seule, et franchement j'aurais bien besoin d'aide.

– Pourquoi on ne ferait pas comme dans Blanche-Neige ? suggéra Meg. On pourrait tous prendre une heure de notre temps le samedi matin et se transformer en nains !

– Ça, ça dépend des conditions de travail accordées, ironisa Allie. Il faudrait savoir si on a l'autorisation de siffler en travaillant. Sinon, je ne marche pas.

– Pourtant, le rôle de Grincheux t'irait comme un gant, sourit Joy.

– Quelles sont nos chances de voir Mary Poppins débarquer et prendre en main le nettoyage de la maison ? demanda Allie en riant.

– Faibles, répondit sa mère. En revanche, la cote est au plus haut pour la perspective suivante :

après avoir rangé la maison, on pourrait aller faire un tour au centre commercial ou dans un autre endroit qui vous ferait plaisir.

La réunion était finie. Toute la famille continua de rire et de plaisanter jusqu'à ce que les filles montent dans leurs chambres pour faire leurs devoirs, alors que personne ne leur avait encore suggéré de le faire.

– Tu vois, conclut Joy en s'asseyant plus confortablement dans le canapé avec un soupir de plaisir, je suis déjà conquise par le pouvoir de motivation des bons points.

– Peut-être ne serait-il pas inutile que nous fassions une mise au point de notre propre relation façon bons points ? suggéra gentiment Wes à Joy, quelques jours plus tard.

– Je suis d'accord. La discussion que nous avons eue avec Dave m'a montré très clairement que je passais mon temps à jouer au jeu du « Je t'ai eu » avec toi.

– On ne peut pas dire que je me sois vraiment attaché à relever chacun de tes actes positifs non plus, tu sais, reconnut Wes, avec un sourire désolé.

– Pourquoi ne passerions-nous pas un coup de fil à Anne-Marie Butler ? Tu m'as tellement parlé de tout ce qu'elle t'avait appris que ça m'a donné envie de la rencontrer. Ou tout du moins de parler avec elle quelques minutes au téléphone. Peut-être qu'elle aurait une ou deux bonnes idées sur la façon dont on devrait s'y prendre pour améliorer notre relation ?

Wes accepta bien volontiers la suggestion de sa femme et, sans plus tarder, composa le numéro de biper qu'Anne-Marie lui avait donné. Quelques minutes plus tard, le téléphone sonnait. Wes enclencha la fonction haut-parleur avant de décrocher.

– Bonjour, Wes ! lança Anne-Marie d'une voix claire qui emplit soudain la pièce de gaieté. Quoi de neuf ?

– J'aimerais vous présenter ma meilleure alliée : c'est ma femme, elle s'appelle Joy et elle est à mes côtés.

– Bonjour, Joy. Je suis ravie d'avoir l'occasion de bavarder avec vous. Wes m'a beaucoup parlé de vous.

– Bonjour, Anne-Marie. Wes et moi étions en pleine conversation quand nous avons réalisé que vous pouviez sûrement nous aider. Nous parlions de notre relation de couple et nous étions en train d'essayer de fixer nos nouveaux objectifs, selon votre méthode des bons points. Il nous faut malheureusement admettre que nous nous sommes enfoncés, petit à petit, dans un système à la « Je t'ai eu ».

– Vous savez, ça arrive beaucoup plus souvent qu'on ne le croit, la rassura Anne-Marie. Moi, je suis vraiment convaincue que les bons points sont d'une grande efficacité pour remettre un mariage à flot, ou tout au moins pour lui redonner le dynamisme qui lui fait parfois défaut. Je vais vous raconter ce qui nous est arrivé, à mon mari et moi, la dernière fois que nous avons dîné en tête à tête dans un restaurant français. C'était un endroit romantique et chic. Il y avait deux autres couples, assis aux deux tables voisines. Le couple de gauche était très amoureux, ça se voyait comme le nez au milieu de la figure. À un détail qui ne trompe pas : quand l'un des deux parlait, que faisait l'autre ? Il l'écoutait. Il souriait. Il lui caressait la main. Il lui donnait toute son attention. Il leur a fallu au moins deux heures et demie pour finir de dîner, mais ça n'avait aucune importance. À mon avis, si on ne leur avait rien servi à manger, ils ne se seraient même pas plaints. De l'autre côté, il y avait un autre couple qui, visiblement, s'ennuyait à mourir. Ils n'avaient rien à se dire. Ils se regardaient à peine. On aurait dit qu'ils étaient seuls ensemble pour la seule raison qu'ils n'avaient réussi à trouver personne d'autre pour partager leur repas. « Ce couple est mort depuis longtemps, ai-je dit à mon mari. Mais personne n'a encore voulu prendre la peine de s'occuper de l'enterrement. »

– Nous aussi, nous avons déjà été les témoins de ce genre de scène, confia Wes.

– Et à votre avis, comment passe-t-on d'un état à l'autre ? Comment se fait-il qu'un jour on boive les paroles de l'autre et que, bien plus tard, on réalise qu'on n'a plus rien à lui dire ? demanda Anne-Marie. Je pense qu'on laisse l'indifférence s'installer en prenant les actes positifs de l'autre pour acquis, et en ne se donnant pas la peine de le féliciter pour ses efforts. Vous connaissez l'adage : l'amour est aveugle ?

– Bien sûr, répondit Joy.

– Qu'est-ce que ça veut dire ?

– Cela signifie que quand on tombe amoureux, on ne voit que les points positifs de l'autre, proposa Wes.

– C'est juste. Donc, quand on se lance dans une relation amoureuse, l'atmosphère est particulièrement tournée vers le positif. Au point de ne pas remarquer ce qui pourrait être négatif, ou bien de décider que ce sont des détails sans importance. C'est seulement après avoir commencé à vivre sous le même toit que les yeux s'ouvrent à nouveau. Petit à petit, on commence à regarder vraiment son partenaire. On n'est plus aveuglé. Et dès qu'on a repéré ses points faibles, on ne voit plus qu'eux. Même si l'autre essaie de changer, on ne s'en rend pas compte, ou bien on refuse de reconnaître ses efforts, ou ses progrès. On commence à se disputer, même pour de toutes

119

petites choses. Mais il y a pire. Le point final d'une relation intervient à un moment précis : quand l'un fait un effort pour faire plaisir à l'autre et qu'il se fait disputer quand même, parce qu'il ne l'a pas fait assez bien. « Tu aurais dû me demander d'abord ! C'est mercredi qu'il fallait le faire ! »

– Malheureusement, j'ai déjà entendu ça quelque part, soupira Joy.

– C'est très courant. Les gens me demandent tout le temps si je pratique aussi la consultation en conseil matrimonial. Je leur réponds par la négative et je leur pose une question. Vous devriez vous la poser vous-même, et pas seulement à propos de votre histoire amoureuse. Il faut aussi analyser vos relations avec vos enfants, votre patron, les gens qui dépendent de vous, vos collègues et vos amis. La question est la suivante : voulez-vous que cette relation soit satisfaisante ?

– En ce qui nous concerne, répondit Wes, il est évident que nous avons toujours envie d'essayer.

– Essayer, c'est juste une manière plus bruyante de ne rien faire, coupa Anne-Marie. Je passe mon temps à rencontrer des gens qui s'adressent à des thérapeutes de couple. Quand je leur demande pourquoi, ils me répondent : parce que nous essayons de sauver notre relation. Or, il y a une condition *sine qua non* à l'efficacité du conseil matrimonial : chacun doit éprouver le même désir de faire durer le couple de manière satisfaisante. Si l'un des deux ne s'embarque dans ce processus que du bout des lèvres – en d'autres termes, s'il se contente d'essayer –, l'histoire restera précaire, car elle continuera de manquer d'honnêteté. C'est seulement quand on est engagé à fond dans une relation qu'il devient possible d'en aborder les différentes facettes sans craindre de courir à la rupture. Laissez-moi vous poser encore une fois la question, Wes. Voulez-vous que votre relation avec Joy dure ?

– Oui ! répondit-il avec force.

– Et vous, Joy, voulez-vous que votre histoire avec Wes fonctionne ?

– Je dois admettre que les mois qui ont précédé notre voyage en Floride, je n'en étais plus très sûre. Mais après avoir parlé avec Dave, et maintenant avec vous, je commence à réaliser à quel point nous étions pris dans un cercle vicieux de négativité. C'est pourquoi, aujourd'hui, je suis d'accord pour répondre oui à votre question, ajouta Joy en prenant la main de son mari et en la serrant fort. Je suis prête à m'y engager.

– Alors, n'ayez plus d'inquiétude. Puisque vous êtes tous les deux en accord avec votre volonté de vous engager vis-à-vis de l'autre, vous disposez des meilleures fondations possibles pour une construction solide et une vraie réussite. Évidemment, vous êtes bien conscients que cela va demander beaucoup de travail.

– Oui, on le sait, répondirent Joy et Wes en chœur.

– Je pense aussi que c'est une bonne idée de prendre le temps d'en parler et de renouveler cet engagement régulièrement. Comme toute chose qui s'étiole si elle est négligée, l'amour a besoin d'un peu d'entretien.

– Je parie que je sais ce que vous allez dire maintenant, interrompit Joy.

– Je vous écoute.

– Vous allez nous expliquer qu'après nous être engagés sur notre couple, l'idée est de se mettre à prendre du plaisir à se donner des bons points. Car, ce faisant, on éprouve probablement de grandes joies à noter tous les efforts accomplis par l'autre pour améliorer la relation.

– Vous m'enlevez les mots de la bouche. En réalité, il suffit de savoir que la pensée positive engendre du positif. Les réactions positives motivent les intervenants à continuer de faire des choses positives. C'est une spirale presque physique, qui pousse vers le haut.

– Par pure curiosité, glissa Wes, que se passe-t-il quand la réponse d'un couple à votre question sur l'engagement est négative ?

– Je leur suggère d'aller voir un thérapeute pour obtenir de l'aide. Il pourra les conseiller sur les meilleurs moyens de se séparer sans trop se déchirer et sans que les enfants paient les pots cassés. Il est tout à fait possible de terminer une union dans la sérénité.

– Eh bien, heureusement, ce n'est pas notre cas. Nous, on a envie de se battre pour rester ensemble, n'est-ce pas, Joy ?

– Absolument. D'autres suggestions pour partir du bon pied, Anne-Marie ?

– Vous devriez réserver un peu de temps pour vous seuls et discuter des problèmes que vous avez rencontrés dernièrement. Une fois que vous les aurez tous listés, vous pourrez commencer à réfléchir à la meilleure façon de les régler.

Wes et Joy suivirent le conseil d'Anne-Marie. Le soir même, ils s'isolèrent et commencèrent à s'exposer avec franchise leurs manques et leurs besoins. Joy plaça immédiatement la conversation sur le registre des bons points en annonçant à Wes qu'elle aimerait qu'il soit à la maison assez tôt le soir pour qu'ils puissent avoir une vraie vie de famille.

– C'est pour ça que j'ai été si amère, dernière-ment, avoua-t-elle. Ça me faisait mal de voir que tu n'étais jamais là et ça m'a poussée dans le processus pervers du « Je t'ai eu ».

– Et que se passerait-il si j'arrêtais de rentrer tard à la maison ?

– Pour moi, ça signifierait qu'au moins quelques soirs par semaine tu places notre famille au premier rang de tes préoccupations. Je n'ignore pas à quel point ton travail est important pour toi et je sais bien que cela va te demander de gros efforts. Mais le but est de nous rapprocher, de redevenir un couple uni et de ne plus dériver chacun de son côté. En fait, que tu rentres à l'heure pour dîner, il faudrait que ce soit la norme et non un événement exceptionnel.

– Je suis d'accord avec toi. Notre famille devrait passer avant le reste. Mais tu ne dois pas oublier qu'il y aura sûrement des périodes où je n'aurai pas le choix : je devrai travailler tard. Écoute, je vais commencer à rentrer plus tôt à la maison dès le début de la semaine. Et en plus, je vais tout faire pour arriver l'esprit libre, en laissant les soucis de boulot et les rapports en retard au bureau.

– Et moi, j'arrêterai de faire des commentaires acerbes sur le moindre de tes faits et gestes, et je cesserai de dresser la liste de ce que tu ne fais pas, promit Joy. Comme ça, tu auras envie de rentrer à la maison. Personne n'est parfait. Maintenant que j'y pense, je ne te l'ai jamais dit, mais tu mérites beaucoup de bons points pour tout ce que tu as fait de bien pour les filles et moi.

– Continue, j'adore quand tu me dis des mots doux, souffla Wes en l'embrassant.

Quelques jours plus tard, Allie eut une conversation avec sa mère à propos d'une de ses amies.

– Maureen m'a parlé d'Hugh, son petit copain. Elle s'inquiète. Elle trouve qu'il traîne de plus en plus souvent avec des types qui ne lui plaisent pas du tout. Maureen préférerait qu'il passe plus de temps avec elle. Sans compter qu'elle a peur qu'il finisse par avoir des problèmes. Elle m'a dit que les parents d'Hugh venaient juste de divorcer. Son père lui manque et sa mère passe son temps à le critiquer. Maureen sait qu'il se laisse entraîner sur une mauvaise pente à cause de sa situation familiale. Tu es amie avec la mère d'Hugh. Tu crois que tu pourrais lui en toucher un mot ?

– Je sais que depuis sa séparation d'avec son mari, sa mère éprouve beaucoup de difficultés à se faire à sa nouvelle vie de célibataire, confia Joy. Elle m'a dit qu'Hugh ne lui rendait pas les choses faciles. Moi non plus, cette situation ne me plaît guère, Allie, mais je ne veux pas avoir l'air de me mêler de ce qui ne me regarde pas. Les parents ne peuvent pas aller expliquer aux autres parents comment élever leurs enfants.

– Je sais bien, maman. Mais peut-être que tu pourrais juste l'inviter à venir bavarder. Ça rassurerait beaucoup Maureen.

Joy pensa à la requête de sa fille pendant plusieurs jours. Sharon, la mère d'Hugh, n'était pas la seule personne à qui elle aurait bien aimé faire partager le principe des bons points pour en faire bénéficier ses enfants. Elle finit par téléphoner à son amie et elles décidèrent de se voir tôt le lendemain matin, de prendre un café avant de partir travailler.

– Eh bien, attaqua Sharon bille en tête, en poussant un gros soupir, personne ne m'avait prévenu que ce serait si difficile. Ajouter un nouveau boulot à plein temps à une inquiétude permanente causée par un adolescent qui me rend folle !

Sharon se mit à exposer à Joy tous les problèmes que lui posait Hugh, et Joy compris rapidement que Sharon était en train de s'enfoncer dans le processus du « Je t'ai eu » avec son fils. La cause ? Frustration et angoisse…

– Je n'ai pas arrêté de lui répéter que je voulais qu'il me dise systématiquement où il va et avec qui, mais est-ce qu'il le fait ? Tu parles ! C'est trop demander qu'il me passe un coup de fil ? Ou qu'il me laisse un mot pour me prévenir, au moins ? Eh bien oui !

Joy compatissait aux soucis de son amie, bien sûr, mais cela ne l'empêchait pas de voir que Sharon ne faisait que détériorer sa relation avec son fils en se focalisant sur ses erreurs. Après avoir écouté avec patience la litanie de ses doléances, Joy finit par lui exposer son point de vue.

– Je sais que ce doit être vraiment dur de travailler toute la journée, sans savoir où traîne Hugh, ni si tout va bien. Je sais que tu l'aimes et que c'est une épreuve difficile à traverser pour vous deux. Mais c'est aussi une période où vous auriez besoin de vous rapprocher et de faire corps contre l'adversité, pas de vous éloigner et de devenir ennemis. Dernièrement, il m'a été fait quelques suggestions qui m'ont permis d'obtenir des résultats inespérés avec mes propres filles. Ça t'intéresse ?

– Tout m'intéresse, soupira Sharon. Je suis au bout du rouleau.

À la fin de leur conversation, Sharon disposait de deux listes griffonnées au fil de ses idées. La première recensait les moyens de pousser Hugh à répondre à ses attentes sans le noyer sous les reproches et de passer avec lui des accords raisonnables. La seconde décrivait toutes les occasions qu'Hugh pouvait lui donner de le féliciter parce qu'il avait bien fait les choses. Soit qu'il ait respecté ses engagements, soit qu'il ait fait de réels progrès en ce sens. Sharon serra Joy dans ses bras, les yeux brillants d'enthousiasme.

– Je te remercie, déclara-t-elle avec émotion. J'avais commencé à oublier le goût de l'espoir.

Chapitre 6

Un jour, alors que Wes était au bureau en train de discuter avec un comptable d'une des spécificités de leur gestion, son patron s'approcha soudain.

– J'aimerais vous parler une minute, demanda Jim Barnes d'un ton lugubre.

Wes laissa le comptable pour suivre Barnes. Ils allèrent dans son bureau. Barnes referma la porte derrière eux et lui offrit un siège.

– J'imagine que vous n'ignorez pas que les chiffres de vente du mois dernier ont enregistré une chute vertigineuse, lança-t-il de but en blanc. Et ça continue. Il y a quelque chose que je devrais savoir ?

– L'une de nos plus grosses parts de marché, le Minnesota, nous passe moins de commandes depuis trois mois, répondit Wes. Je pense que ça devrait vite rentrer dans l'ordre. Mais il n'y a pas que ça : nous avons eu de petits problèmes de personnel. J'ai dû faire des réajustements. Je suis en train de former de nouvelles personnes et ça va prendre encore un peu de temps avant qu'elles soient tout à fait opérationnelles.

– Je sais tout ça, coupa Barnes. Le fond du problème, c'est que vos subordonnés ne vous rapportent plus le même chiffre. Vous n'avez jamais été leur manager préféré, mais vous aviez toujours réussi à maintenir leur productivité. Je pense que vous êtes en train de vous ramollir.

– De me ramollir ?

– Ça, par exemple, dit Barnes d'un ton méprisant en sortant de sa poche l'une des orques miniatures distribuées par Wes. Vous infantilisez le personnel en lui offrant des jouets.

– Ce sont des symboles d'encouragement.

– Et j'ai aussi entendu parler du nouveau langage que vous utilisez : « Je t'ai eu », « la méthode du bon point »... Qu'est-ce que c'est que cette histoire ?

– Aucune inquiétude à avoir, Jim, répondit Wes avec une assurance feinte, tout en se reprochant de n'avoir pas anticipé le coup. C'est une nouvelle technique de management. Elle est le fruit de nombreuses recherches et elle va nous conduire au top.

– Parlons-en ! Quelles recherches ! explosa Barnes en faisant les cent pas derrière son bureau. Je me suis laissé dire qu'il n'y avait rien de tel pour dresser les orques !

– C'est vrai. Mais les meilleures techniques sont souvent les plus simples. L'idée consiste à réagir positivement, au lieu de faire un scandale quand quelqu'un commet une erreur. Avant, à la première bourde d'un membre du personnel, je lui passais un savon. En revanche, quand les employés faisaient du chiffre, je considérais que c'était la moindre des choses et je ne leur faisais aucun commentaire. Aujourd'hui, je m'entends beaucoup mieux avec eux.

– Ce n'est pas ce qu'on m'a dit, grommela Barnes.

– Et que vous a-t-on dit ? Si vous savez quelque chose que j'ignore, je vous remercie de m'en faire part, Jim. Quelqu'un est venu se plaindre à vous ?

– Ne comptez pas sur moi pour vous donner des noms. Mais rien qu'au cours de la semaine dernière, j'ai entendu les critiques de deux personnes convaincues que vous avez perdu la main avec l'équipe. Si j'en crois leurs commentaires, on dirait qu'ici ce sont les malades qui font tourner l'hôpital.

– C'est tout simplement ridicule, Jim. Juste parce que j'essaie de faire baisser la pression…

– Mais c'est tout le problème ! Vous mettez le doigt dessus tout seul ! Il n'est pas question de faire baisser la pression : c'est le moment où jamais de la mettre ! Écoutez, Wes, je ne veux pas savoir comment vous allez vous y prendre, mais je veux que ces chiffres remontent. Ce matin encore, j'avais Bill Jaspers sur le dos. Il était venu me tanner à propos des performances globales de notre département et il a la ferme intention de ne plus jamais revoir de tels résultats. Faites ce que vous avez à faire.

– D'accord, je vous ai bien reçu. Cinq sur cinq.

– Autre chose. Dois-je vous rappeler que l'évaluation du personnel est prévue pour le mois d'avril ? Vous savez ce que ça signifie. Quel que soit le degré de gentillesse avec lequel vous avez décidé de traiter vos subordonnés, vous ne pourrez pas leur donner à tous de bonnes notes. Nous savons tous les deux comment le système fonctionne. On connaît la musique. Votre boulot consiste à séparer le bon grain de l'ivraie, à déterminer qui a la meilleure productivité et qui n'obtient que des résultats moyens. Qui est moyen, et qui est mauvais. On fait tourner une entreprise ici, pas une œuvre de charité.

Au moment où Wes sortait du bureau de Barnes et s'avançait dans le couloir, il vit Harvey Meehan et Gus Sulermo entrer précipitamment dans le bureau de ce dernier. West n'avait guère de doutes sur les deux « personnes » qui étaient allées rapporter les dernières nouvelles au grand patron.

Plus tard, dans l'après-midi, à l'heure de la pause d'Harvey et de Gus, il partit les rejoindre dans la salle de détente des employés.

– Salut, les gars, lança-t-il. Vous avez une minute ? Je me demandais si vous pourriez m'aider ? Je vous considère comme deux des têtes pensantes de l'équipe, et votre influence sur les

132

autres est prépondérante. Les ventes baissent, et nous ne pourrons les faire remonter qu'en travaillant main dans la main.

– Eh, eh ! Je t'ai eu ! grinça Harvey.

– Je propose qu'on passe un marché, poursuivit Wes en ignorant cette interruption. Pendant les six prochains mois, votre pleine et entière coopération ne sera pas de trop. J'ai besoin que vous souteniez les changements que je suis en train d'introduire dans la maison. J'ai également besoin que vous mettiez la pédale douce sur les critiques et que vous ne soyez pas aussi prompts à dénigrer ma méthode de management. Si nos résultats et nos relations ne se sont pas améliorés après ce laps de temps, j'accepterai d'abandonner la méthode des bons points. Qu'en dites-vous ?

Les deux hommes se regardèrent longuement avant de finir par hocher la tête en signe d'accord. Wes voulut croire qu'ils acceptaient par simple bon sens. Leurs objectifs professionnels à tous étaient sur la sellette et il fallait vraiment faire œuvre commune. Il les remercia avec effusion.

– Merci, les gars. J'imagine bien qu'accéder à l'une de mes demandes n'est pas l'un de vos exercices favoris. Néanmoins, vous venez de le faire sans hésiter. J'admire votre attitude.

Lorsqu'il s'éloigna, ses deux collègues le laissèrent partir dans le plus grand silence. Mais Wes n'était pas dupe. Harvey et Gus ou non, il était soudain en proie au doute. La technique utilisée par Dave Yardley pour le dressage des orques était-elle vraiment efficace dans les relations de travail ? Après l'enthousiasme des débuts, il commençait à s'interroger.

Le soir même, Wes et sa femme discutaient des progrès de leurs filles et de l'amélioration de leurs relations. Joy était agréablement surprise du nombre de fois où elle avait eu l'occasion de les féliciter et de la façon scrupuleuse dont elles respectaient les objectifs qu'ils avaient fixés ensemble.

– Tu ne trouves pas que cette stratégie des bons points donne vraiment des résultats ? demanda-t-elle à Wes.

– Si, je le trouve. Pour toi.

– Pourquoi dis-tu ça ? Qu'est ce qui t'embête ?

– Il n'y a pas de doute que les bons points fonctionnent à la maison, soupira Dave, mais au bureau c'est une autre histoire. J'ai eu un entretien déconcertant avec Jim Barnes, aujourd'hui. Il pense que les problèmes de notre secteur sont dus au fait que j'ai envie de m'amuser avec les orques. Il pense que je me suis ramolli et veut que je remette la pression aux membres de l'équipe.

– Ce n'est pas une bonne nouvelle.

– Quand les entreprises traversent de mauvaises passes, ce sont les approches expérimentales de management qui trinquent en premier. Résultat, j'ai le choix entre revenir aux bonnes vieilles méthodes ou prendre la porte. Même si j'ai déjà prouvé que les bonnes vieilles méthodes étaient inopérantes. Cette crise fait craindre à tout le monde de perdre son emploi. Et franchement, vu comme Jim me regardait aujourd'hui, je n'ai pas pu m'empêcher de penser que je serais le premier à partir.

Dès le lendemain matin, Wes passa un coup de fil à Anne-Marie Butler. Il avait pris l'habitude de la tenir régulièrement au courant de l'évolution de la situation. Cette fois-ci, quand elle lui demanda comment il progressait, sa réponse fut très mitigée.

– Que voulez-vous en premier, les bonnes nouvelles, ou les mauvaises ?

– Vous me connaissez : commencez par les bonnes !

– D'accord. Alors, parlons de mon couple. Je suis heureux de pouvoir dire que nous avons déjà presque pris l'habitude de souligner les points positifs de l'autre. Mais heureusement, recevoir des félicitations n'est pas encore une activité routinière. C'est toujours un peu surprenant d'entendre chanter ses louanges. Surtout quand il y a des témoins – en l'occurrence, les enfants.

– Comment ça ?

– L'autre soir, pendant le dîner, Joy m'a dit : « Chéri, merci de m'avoir appelé pour me prévenir que tu aurais un peu de retard. Comme je le savais, je ne me suis pas pressée de mettre la dernière main au repas. Nous avons pu t'attendre et dîner tous ensemble. C'est beaucoup plus agréable, non ? » Et là-dessus, Allie a mis son grain de sel, en signalant à Joy que c'était une des premières fois qu'elle l'entendait me complimenter. Joy lui a répondu qu'elle avait raison et lui a demandé si elle ne trouvait pas, elle aussi, que je les méritais, vu mes efforts de ces derniers temps. La réponse d'Allie vous aurait plu, elle a dit : « Non, je ne crois pas. À mon avis, il fait des efforts parce que tu lui fais des compliments ! »

– Voilà une remarque pleine de bon sens, commenta Anne-Marie.

– Je sais. Depuis que Joy et moi avons entrepris de nous lancer dans cette démarche, notre amour et notre respect l'un pour l'autre se sont renforcés. Au début, nous avons pris cette expérience comme un jeu, et aujourd'hui nous ne jouons plus du tout. Nous nous regardons vraiment comme ça. Nous sommes plus affectueux l'un envers l'autre et nous avons plus souvent envie de passer du temps ensemble. Il était inévitable que les filles s'en rendent compte, bien sûr. L'autre jour, Allie n'a pas pu s'empêcher de nous dire que, pour des parents, elle nous trouvait de plus en plus fleur bleue ! « C'est vrai, a confirmé Meg. Vous êtes tout le temps en train de vous tenir par la main et de vous faire des câlins !

– Ça vous met mal à l'aise ? a demandé Joy.

– Pas vraiment. Au début, on a trouvé ça un peu bizarre, mais maintenant on est habituées.

– Moi, je trouve ça mignon, a ajouté Meg.

– Mignon ?

– Oui, parce que vous voir vous aimer si fort me donne le sentiment d'être aimée moi aussi. (Vous imaginez le sourire que Joy et moi avons échangé !)

– Comme d'habitude, Meg a raison, a conclu Allie. J'imagine que d'une certaine façon, je suis plutôt fière que mes parents montrent vraiment qu'ils s'aiment. La majorité des parents de mes amis n'ont même pas l'air de s'apprécier. »

– Eh bien, commenta Anne-Marie. Il semblerait que vous soyez en passe de former un couple exemplaire, Joy et vous ! Quelles sont les autres nouvelles ?

– Je suis très étonné de constater à quel point mes relations avec Allie se sont améliorées. L'autre jour, elle m'a dit : j'ai farfouillé dans ton placard, papa, mais je n'ai pas trouvé ton costume. Sachant qu'elle me tendait un piège, je lui ai demandé de quel costume elle parlait. Elle a répondu : « Ton costume de super-papa ! » Je pense qu'elle m'aime bien, conclut Wes en étouffant un petit rire de contentement.

– Mais bien sûr qu'elle vous aime bien, renchérit Anne-Marie. À votre avis, pourquoi vos relations ont changé ?

– Parce que nous avons donné beaucoup de bons points aux filles, dernièrement. Et elles les méritaient bien !

– Je pense qu'il y a une raison plus profonde au changement d'attitude d'Allie.

– Laquelle ?

– Faites-moi plaisir. Posez votre main droite sur votre épaule gauche et votre main gauche sur votre épaule droite. Et serrez-vous bien fort dans vos propres bras. Vous aussi, vous avez changé, Wes. Vous n'avez rien à voir avec l'homme que vous étiez quand je vous ai rencontré.

– Euh, merci. Mais brisons là, je n'ai pas envie d'attraper la grosse tête.

– Tant que vous continuerez de vous focaliser sur les actes positifs des autres, réserver un peu d'estime pour vous-même ne vous fera pas de mal, répliqua Anne-Marie. Je passe mon temps à croiser des managers intransigeants avec les autres parce qu'ils sont trop durs avec eux-mêmes. Ils sont toujours en train de se reprocher mentalement quelque chose : « J'aurais dû être meilleur pour ça, j'aurais dû faire ça, comment ai-je pu être aussi bête pour oublier un truc comme ça… » Ça vous rappelle quelqu'un ?

– Oh oui ! sourit Wes.

– Si vous vous mettez à oser vous attribuer quelques bons points, tout le reste de votre existence s'en trouvera améliorée. Et tout particulièrement vos relations avec autrui. Tout simplement parce que c'est agréable de passer du temps avec quelqu'un qui a de l'estime pour soi.

– C'est votre secret ?

– Peut-être. Mon père m'a dit…

Ça ne fait jamais de mal de chanter ses propres louanges de temps en temps.

– J'imagine que vous allez passer aux mauvaises nouvelles, maintenant, poursuivit-elle. Allez-y.

Wes lui raconta en détail la réunion surprise de la veille avec son patron. Il n'oublia pas de lui faire part de l'avertissement de Barnes pour l'évaluation du personnel et la nécessité de différencier les employés par des notes d'appréciation. Il lui décrivit aussi sa confrontation avec Harvey et Gus.

– Parlons d'abord de ceux qui font de la résistance, commença Anne-Marie. Mon conseil est de vous accrocher aux branches. Il y aura toujours des gens qui doutent, qui feront obstruction à vos projets. À un certain point, on peut même considérer que c'est un mal nécessaire. Si j'en crois mon expérience, la majorité des personnes qui s'opposent au changement sont surtout des gens prudents. Après un certain temps, quand ils finissent par adhérer à un projet, ils deviennent ses plus grands supporters. Faites confiance à votre équipe. Restez fidèle à vos idées et tenez régulièrement votre supérieur hiérarchique au courant de l'évolution de la situation. Les bons points marcheront.

– Merci, je l'espère vraiment.

– Maintenant, passons au système d'évaluation du personnel en vigueur dans votre entreprise. Ça, c'est un problème. Au cours de mes conférences, je pose souvent cette question au public. Combien d'entre vous pensent que la façon dont leurs résultats sont évalués et la façon dont ils sont informés est importante ? Toutes les mains se lèvent, à l'unanimité. J'ai alors une seconde question : actuellement, combien d'entre vous sont d'accord avec la façon dont leurs résultats sont évalués et la façon dont on les en informe ? Et pratiquement aucune main ne se lève. S'il y en a deux ou trois, ce sont généralement celles de représentants des ressources humaines, c'est-à-dire les personnes ayant elles-mêmes mis en place le système d'évaluation. C'est le moment où j'enchaîne : pourquoi le personnel conteste-t-il votre système d'évaluation ? Parce qu'il oblige des managers tels que vous à faire entrer des humains dans des catégories du type : mauvais, acceptable et bon. Que cela corresponde vraiment à la réalité ou non.

– Vous décrivez très exactement la manière dont fonctionne mon entreprise, confirma Wes. Vous ne trouvez pas que c'est franchement incompatible avec la philosophie des bons points ?

– Si. Et le plus délicat, c'est lorsque toute votre équipe est composée de gens excellents. À qui diable pouvez-vous donner des appréciations comme mauvais ou moyen ? Ce type d'évaluation a été conçu pour monter les gens les uns contre les autres, et pour placer les relations internes sous le signe de la compétition. Il ne laisse aucune place pour la coopération et l'esprit d'équipe. Je pose parfois la question suivante à des managers : au moment de l'évaluation, combien d'entre vous ont déjà pensé à aller embaucher, pour l'occasion, des mauvais et des perdants, afin de pouvoir remplir toutes les cases du formulaire ? Ça les fait rire et je conclus en leur disant : bien sûr, vous ne le faites pas. Vous ne vous entourez que de battants et de gagnants. Des personnes sur lesquelles vous misez pour faire du chiffre après avoir suivi toutes les formations nécessaires et avoir été bien motivés. En d'autres termes…

**Si vous n'embauchez
pas vos employés suivant
une catégorisation
du meilleur au pire, pourquoi
les notez-vous ainsi ?**

Wes réalisait à quel point la méthode traditionnelle d'évaluation des performances du personnel était en contradiction avec la philosophie des bons points, mais il n'était pas sûr de ce que cela impliquait.

– Alors que puis-je faire, selon vous ? demanda-t-il.

– Votre patron vous met la pression pour reprendre l'avantage. Pourquoi n'en informez-vous pas votre équipe ? Annoncez-lui que dans le cadre de votre nouvelle politique de management, vous ne souscrirez pas cette année au système d'évaluation du personnel qui vous oblige à répertorier les gens en gagnants, en perdants et en moyens. Expliquez-lui que tout l'édifice des bons points repose sur précisément l'inverse : chacun doit avoir la possibilité de gagner. Ça encouragera les gens à se battre contre eux-mêmes – ils remettront en question leur propre capacité à parvenir à leurs objectifs – plutôt que de se battre entre eux. Montrez-leur que leur réussite ne devrait pas être le corollaire de l'échec des autres.

– Comment voulez-vous que je propose une chose pareille ? s'irrita Wes. Barnes et les autres vont m'assassiner !

– Je réalise que c'est une tactique dangereuse, mais il faut que vous ayez confiance en vous. Si votre équipe et vous donnez le meilleur de vous-même et que vous vous motivez mutuellement sans entrer en compétition, vos chiffres parleront d'eux-mêmes. Or en vérité, c'est la seule chose qui intéresse Barnes. Plus tard, au moment où vous devrez rendre votre évaluation des performances, vous n'aurez pas de mauvais élément, et voilà tout. Enfin, à moins que vous n'ayez embauché des personnes inadéquates à leurs postes. Si quelqu'un ne parvient pas à atteindre le résultat voulu, il ne doit pas être puni. Même si vous l'avez encouragé et formé pour sa tâche. Il faudra simplement le changer de poste pour trouver celui où il rencontrera le succès.

– D'accord, Anne-Marie. C'est ce que je vais faire. Mais le moins qu'on puisse dire, c'est que ma vie est devenue périlleuse depuis que je vous ai rencontrés, Shamu, Dave et vous !

Wes raccrocha et, plongé dans ses réflexions, resta assis un long moment à son bureau. Bien qu'il apprécie l'aide de son amie et son inépuisable enthousiasme, il se sentait un peu perdu. Les questions virevoltaient dans sa tête. Devait-il vraiment continuer d'appliquer la méthode des bons points au travail ? N'était-ce pas la meilleure façon de mettre en danger son avenir dans cette entreprise ? Réussirait-il à convaincre son patron de changer le système d'évaluation, et ce même si tous les membres de son équipe méritaient les meilleures notes ?

Il n'en dormit pas de la nuit. Des pensées sombres l'agitaient sans qu'il parvienne à les chasser. Avant l'aube, il s'habilla et partit au bureau. Alors qu'il roulait dans les rues désertes, son humeur s'assombrit encore. *Mes initiatives sont sabotées par la hiérarchie*, pensait-il. *Anne-Marie est complètement folle de me conseiller de prendre sur moi de révolutionner le système d'évaluation. Si je fais ça, je le paierai très cher.*

En arrivant dans les locaux de l'entreprise, Wes resta un long moment devant la porte de la salle de réunion où il avait prononcé son discours de présentation des bons points à son équipe en leur expliquant comment il comptait en faire usage. En plein désarroi, il secoua la tête d'un air las. Toute cette histoire n'était-elle qu'un vaste miroir aux alouettes, et ce depuis le début ?

Il entendit alors une clé dans le pêne de la porte d'entrée. Quelqu'un d'autre avait choisi de se rendre au bureau à la première heure. C'était Merideth.

— Eh bien, lança-t-elle dès qu'elle le vit, vous êtes matinal ! Il y a un problème ? reprit-elle avec inquiétude, en remarquant sa mine désemparée.

— Non, tout va bien.

Comment aurait-il pu lui dire qu'il était venu tôt pour rédiger sa lettre de démission et revoir son curriculum vitae ?

— Bon, reprit Merideth. Les temps sont durs, mais voici l'info du jour. Si vous jouez avec l'idée d'abandonner le bébé avec l'eau du bain, c'est-à-dire soit de quitter le navire, soit de laisser tomber les bons points, je vous arrête tout de suite. Vos encouragements et les félicitations que vous nous prodiguez sont les seuls moments agréables de nos journées, dans cette maison. Sauf quand les autres membres de l'équipe se mettent à vous imiter et distribuent eux aussi des bons points. Figurez-vous que ce n'est pas mon genre de dire une chose pareille, c'est donc la meilleure raison de me croire.

Sur ce, Merideth tourna les talons et disparut dans le couloir en direction de son bureau, visiblement impatiente de se mettre à l'ouvrage.

Wes sentit un sursaut d'énergie le dynamiser à nouveau. Les encouragements d'Anne-Marie ajoutés aux félicitations de Merideth réussissaient enfin à lui redonner le moral. Une fois encore, il avait la certitude que la méthode des bons points était la voie à suivre. Oubliant son idée de tout laisser tomber, il résolut de rester fidèle à son engagement.

Le jour de la réunion mensuelle des ventes, Wes ouvrit la séance en indiquant du doigt un jeune homme qu'il avait fait asseoir à sa droite.

– Je vous présente Howard LaRosse, qui chapeautera nos ventes par télé-marketing, attaqua-t-il. C'est le premier jour d'Howie. Il n'a pas encore suivi sa formation, mais je me suis dit qu'il avait tout intérêt à assister à notre réunion d'aujourd'hui.

Alors que des applaudissements de bienvenue retentissaient, Howie ne put masquer sa surprise. Il ne s'était nullement attendu à un tel accueil.

– Ainsi que vous le savez, poursuivit Wes, nous commençons par l'annonce de tous nos bons résultats. Qui souhaite ouvrir le feu ?

– J'y vais, annonça Marsha. Mon objectif de ventes du mois était d'atteindre deux cent mille. J'ai atteint 92 % de ce chiffre. Des applaudissements sincères fêtèrent l'annonce de Marsha. L'intervention de cette commerciale fut suivie par celle de Lyle. Il déclarait, pour sa part, avoir atteint 110 % de son objectif. Roberto en avait réalisé 72 %. À chaque chiffre annoncé par un membre de l'équipe, un tonnerre d'applaudissements s'élevait. Ensuite, Wes demanda aux intervenants s'ils avaient des commentaires ou des questions.

– Je suis le bleu, ici, lança Howie. Alors, j'ai besoin de bien me faire expliquer ce que vous faites. Dans les entreprises où j'ai travaillé, seuls les membres du personnel atteignant leur objectif auraient été applaudis. Ici, on dirait que vous félicitez chaque progression, aussi infime soit-elle. J'imagine que si j'étais aussi tolérant avec mon équipe, ça lui ôterait tout désir de s'améliorer.

– Qui souhaite répondre à Howie ? demanda Wes.

Quelques mains se levèrent, et Wes choisit de donner la parole à Pete, l'un des commerciaux les plus chevronnés de la maison.

– C'est comme ça que ça se passait, ici aussi, jusqu'à ce que l'orientation change. Maintenant, nous pratiquons la méthode des bons points. Ça nous permet à tous de partir du bon pied. Comme nous ne soulignons, par principe, que les éléments positifs, personne n'hésite à faire part de ses problèmes ou de ses soucis et à communiquer ses derniers chiffres. Ainsi que vous pourrez le constater, nous allons passer la seconde partie de la réunion à échanger des idées pour permettre à chacun d'améliorer ses résultats. Comme ça, tout le monde peut bénéficier de la puissance intellectuelle de tous les membres du groupe.

– Je comprends, intervint Howie. L'avantage, c'est vous ne subissez pas les effets néfastes de la compétition interne qui existe d'ordinaire entre les équipes.

– Exactement, répondit Pete. Les bons points nous poussent à entrer en compétition avec nous-même, pas entre nous.

Pendant les mois suivants, la nouvelle approche de management des performances se mit à gagner les autres équipes, et Wes se retrouva, de facto, à jouer le rôle de consultant. Pour l'édification des autres services de l'entreprise, Merideth et quelques autres personnes de son équipe décidèrent même de préparer une conférence relatant les heures de gloire de la méthode des bons points. À plus long terme, la petite révolution initiée par Wes dans la façon de traiter le personnel marqua un tournant décisif dans l'histoire de l'entreprise. Graduellement, les ventes de tous les commerciaux s'améliorèrent.

Wes eut la preuve que les temps avaient vraiment changé un jour où il était au bureau en train de préparer une réunion avec Jim Barnes. Ils allaient revoir les chiffres des ventes en cours. Quelqun frappa et lorsque Wes leva les yeux, il vit Harvey et Gus se dandiner sur le pas de la porte.

– On peut te voir une minute ou deux ? demanda Harvey.

– Bien sûr, je suis toujours heureux de vous parler, répondit Wes, même si vous avez l'air d'avoir quelque chose sur le cœur à chaque fois que vous m'adressez la parole.

– C'est justement pour ça qu'on voulait te voir. On peut entrer ?

D'un simple mouvement de tête, Wes leur indiqua les chaises placées devant son bureau.

– On sait que tu t'es vraiment décarcassé pour faire changer les choses ici, commença Harvey. Et que tu as vraiment pris la peine de soutenir tout le monde, alors que nous avons passé notre temps à te mettre des bâtons dans les roues. Nous sommes venus te dire qu'à partir d'aujourd'hui tu ne nous trouveras plus en travers de ton chemin.

149

– On veut te donner un coup de main, ajouta Gus, en trouvant soudain le courage d'ouvrir la bouche.

– Voilà de bonnes nouvelles, les gars, répondit Wes, qui méritent que je vous en donne d'autres. Tous les chiffres de ventes ont grimpé. Les résultats de plusieurs personnes, dont vous, ont été remarquables. Mais il se trouve aussi que toute l'équipe a réalisé des chiffres supérieurs à ses objectifs. Je suis sur le point d'aller voir Jim Barnes pour lui faire mon rapport trimestriel et j'ai l'intention de lui dire à quel point le fait de souligner les points positifs a été déterminant. Tout le monde s'est amélioré. Il n'y a aucun perdant. Et j'ai l'intention d'insister pour que le système d'évaluation qui a toujours été en vigueur ici, attribuant à chacun une note excellente, passable ou mauvaise, ne soit pas appliqué à notre département.

La réaction enthousiaste d'Harvey et de Gus donna soudain une idée à Wes. Pourquoi ne pas emmener ces deux-là à la réunion à laquelle il devait se rendre ? En cas de résistance, Jim Barnes aurait du mal à se défendre contre le tir nourri de trois personnes…

Wes avait eu raison. Barnes ne réussit pas à trouver un maillon faible dans la performance globale de l'équipe de Wes. Et le soutien ouvert que manifestaient désormais Harvey et Gus à l'approche de leur manager le laissa sans argument. La réunion termina même sur une promesse : Barnes s'engagea à aller se battre avec la hiérarchie pour faire supprimer l'ancien système d'évaluation. Wes n'oublia jamais le sourire qui se peignit sur le visage de son chef lorsqu'il lui dit : « Un bon point pour vous, Barnes ! »

Les mois passaient, et les bons points étaient devenus le principe moteur de la maisonnée Kingsley. Wes et Joy remarquèrent vite qu'en plus des améliorations dans leurs relations familiales, il y avait d'autres bénéfices. Les amies de Meg et d'Allie, attirées par l'atmosphère de chaleur et de tolérance régnant à la maison, s'étaient mises à la fréquenter de plus en plus. Le week-end, Joy, pianiste experte, était réclamée à corps et à cris par les ados du quartier pour accompagner leurs improvisations ou assurer la musique de leurs fêtes. Quelquefois, après les réunions d'enfants, la maison était un vrai champ de bataille. Mais Joy et Wes avaient passé des accords préalables avec les filles pour qu'elles s'occupent du rangement. Lorsqu'il était presque temps de rentrer, la bande se scindait en petits groupes chargés chacun d'une tâche. Et tous faisaient la course pour voir à quelle vitesse ils pouvaient remettre la maison dans son état de propreté initial…

Quand des difficultés se profilaient, Wes et Joy étaient heureux d'avoir eu la prudence d'établir des relations, non seulement avec chacun des amis de leurs filles mais aussi avec leurs parents. Ils gardaient l'œil sur ceux d'entre eux dont l'influence était discutable. Les amis d'Allie trouvaient toujours une oreille attentive auprès de Wes ou de Joy. Et nombre d'entre eux leur confiaient des secrets qu'ils n'auraient jamais avoués à leurs propres parents. Les Kingsley réalisèrent à quel point leur maison était devenue un modèle d'ouverture et de bienvenue lorsqu'ils se mirent à recevoir des coups de fils de voisins se demandant pourquoi leurs enfants passaient tout leur temps libre chez eux.

À chaque fois que Joy et Wes parlaient de tous les changements positifs intervenus dans leur vie, ils se posaient la même question : que diraient les gens s'ils savaient que tout ça nous est arrivé à cause d'une orque ?

Épilogue

Un an plus tard, en septembre, Wes dut effectuer un nouveau voyage d'affaires à Orlando. Il eut très envie d'aller à SeaWorld pour revoir le lieu où sa vie avait pris un tournant positif et de reprendre contact avec ses deux vieux amis, Shamu et Dave Yardley. Il s'était assis au centre de l'auditorium pour assister au spectacle des orques. Alors que les animaux enchaînaient les acrobaties – dont un certain nombre de nouvelles figures –, Wes retint son souffle et applaudit avec le même enthousiasme que les autres spectateurs.

À la fin du spectacle, quand le public se pressa autour des issues dont il ne pouvait sortir que lentement, il entendit la question que son jeune voisin lançait à ses amis :

– À votre avis, comment font-ils pour obtenir tout ça des épaulards ?

Wes sourit et ne put s'empêcher de se tourner vers le jeune homme :

– C'est amusant que vous posiez cette question, commença-t-il…

Remerciements

Il nous a fallu plus de dix ans pour écrire ce livre. Une décennie pendant laquelle de nombreux intervenants nous ont offert leur soutien. Nous donnons tout d'abord un bon point spécialement chaleureux à deux personnes sans lesquels ce projet n'aurait pas vu le jour : Margret McBride et Fred Hills. Margret, notre agent littéraire, remporte toute notre estime pour nous avoir accordé une confiance indéfectible. Nombre de ses idées ont contribué à enrichir ce livre. Fred Hills, éditeur de The Free Press et gentleman, a revu notre manuscrit d'un œil averti. Nous saluons ici l'expertise dont il a fait preuve dans sa collaboration avec les auteurs.

Par ailleurs, nous remercions aussi Paul Hersey, Spencer Johnson, Robert Lorber et Norman Vincent Peale. Au côté de David Berlo et Aubrey Daniels, ces extraordinaires experts du comportement méritent le titre de coauteur pour avoir influencé la pensée de Ken et plusieurs des concepts présentés dans cet ouvrage. Nous saluons aussi nos amis du Country Club de

Skaneatles, pour leur relecture du manuscrit et leurs précieux commentaires.

Ken – Je tiens à remercier Eleanor Terndrup, Dana Kyle et Dottie Hamilt qui, à différentes époques au cours des nombreuses années de réflexion qui ont donné naissance à ce livre, ont été mes bras droits successifs. Je remercie tout particulièrement ma femme, Margie, qui est toujours de mon côté.

Thad – Je veux remercier ma famille – Barbara, Michelle et Philip – pour son soutien continu et affectueux. Chuck et moi tenons aussi à attribuer un bon point à Ted Turner, Mike Scarpuzzi et Dave Force, pour leur influence professionnelle et positive et, plus important encore, pour leurs marques d'amitié.

Chuck – Je remercie mon épouse, Kathy et mes deux fils, Cody et Jared, pour leurs encouragements, leur patience et leur amour. Ils ont été pour moi la vraie source d'inspiration de ce livre.

Jim – À ma meilleure amie, qui est aussi mon éditeur et ma lumière, Barbara Perman. Ses idées ont profondément influencé ce texte. À ma collègue Jayne Pearl, pour son aide. Et à Matt et la bande des Collective Copies.

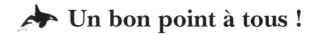 **Un bon point à tous !**

Pour plus d'informations
sur les publications de Ken Blanchard
et ses méthodes de management,
contactez l'organisme suivant :

The Ken Blanchard Companies
125 State Place
Escondido, Californie 92029

http://www.kenblanchardcompanies.com

ISBN : 2-7499-0066-2
LAF : 464

Dépôt légal : mars 2004
IMPRIMÉ EN FRANCE

Achevé d'imprimer le 2 mars 2004
sur les presses de l'imprimerie «La Source d'Or»
63200 Marsat
Imprimeur n° 12089